繊細すぎてしんどいあなたへ

HSP相談室

串崎真志

岩波ジュニア新書　919

はじめに

みなさんは、繊細(せんさい)という言葉に、どのような印象をもつでしょうか。

会話のなかで、「〜さんは繊細だなあ」と言うことが(言われることが)ありますね。それは、どちらかといえば褒(ほ)め言葉というより、「気にしなくてもよいことを、気にしすぎる人」といった、マイナスなニュアンスかもしれません。言われた本人も、「やっぱり、気にしすぎかなあ……」と、考えこんでしまうでしょう。

特に一〇代は、いろいろなことを「気にする」年代です。成績のこと。教室内やSNSでの友だちとの関係、そしてやりとり。部活動での人間関係や技術の伸び悩み、レギュラーになれるかどうかといったこと。勉強する意味。親との関係や家族のこと。進路のこと……。ささいな後悔やちょっとした不安なら、毎日のようにあるかもしれませんね。ときにはイライラしたり、投げやりになってしまうこともあると思います。毎日の「気にする」ことは小さくても、それが積み重なっていくと、「生きづらさ」につながります。

「どうしてこんなに気になるんだろう」……。

「どうしてこんなに生きづらいんだろう」……。

このような感じをもっていませんか？

逆にいうと、このような生きづらさを感じる背景には、「気にしすぎる＝繊細な」性格があるからです。それゆえ、生きづらさを感じ始めているみなさんが、「そういう（気にしすぎる＝繊細な）性格をなんとかしたい」と思うのは、当然のことです。

そして、それはなんとかなります！

でも、それは繊細さを治すことではありません。繊細さは、マイナスな性格ではないからです。

私は、繊細さを「多感力」（多くのことを感じ取る力）だと思っています。「繊細＝多感」であり、多感は「力」です。人に対する抜群の思いやりを発揮し、自分の個性に深みを与え、人生を適切にガイドする力。むしろ長所といえるのです。

この本では、繊細な気持ちに悩む若いみなさんに、繊細な性格の特徴を説明し、それがどう長所になるかを考えていきます。生きづらさや傷つきやすさを最小限に抑え（繊細さには、残念ながらこういう短所もあります）、生きる力として活かす方法を、お話ししたいと思います。

1章では、それら一〇代によく見られる繊細さを、「怒っている人が怖い」「友だちの顔色をうかがってしまう」「教室に居づらい」「人の気持ちに気づく」「空想が大好き」「匂いや音などに敏感」という六つの特徴（タイプ）別に整理し、一〇代の人がおかれやすい状況から説明していきます。自分の繊細さがどのタイプに当てはまるかを考えながら、読んでみてください。

2章では、それらに対処する工夫を紹介します。「繊細さ＝多感力」として活かすヒントを見つけましょう。

そして3章では、それでも生きづらさが自分の手に余るとき、どうしたらいいのかをお話しします。繊細な性格そのものは病気ではありません。しかし、ときにそれが高じて不安が強くなったり、学校に行きにくくなるなど、日常生活に支障が出たりします。そんなとき、どこに、どのように相談したらよいのか、すぐにわからない人も多いでしょう。また、一〇代の当事者だけでは、相談や支援の窓口を見つけにくいかもしれません。そのため、親や教師など大人の方にも、読んでいただきたい章でもあります。また、自分の状態を大人に説明するときに、この本を使ってもらうのもいいと思います。

そもそも、繊細という言葉には、「きめが細かくて、優美な様子だ」「感情が細かくて、鋭い様子だ」(三省堂『新明解国語辞典』第七版)といった意味があります。本来は肯定的なニュアンスをもつ言葉です。

「繊細でよかった!」

本書を通して、自分の繊細さの価値を見直し、このように感じてもらえたらうれしいです。

目次

イラスト＝村山宇希

1章

「繊細さ」には
いろいろな種類がある

●繊細さ＝多感力

みなさんは、繊細（せんさい）という言葉から、どのようなイメージを連想するでしょうか？気にしすぎる、傷つきやすい、神経質、クヨクヨ、緻密、入念、気配りができる、優しい、美しい、微かな、きゃしゃな体格……。

大きく分けると、「細かいところが気になってしまう」という短所と、「細やかなところに気が付く」という長所と、二つありそうですね。この二つは、たしかに繊細さの両面をよく表しています。

ここで、もう一歩踏み込んで、繊細さの「源（みなもと）」を考えてみましょう。

私は、繊細さの源を、「細かいところまで注意を向け、そこから多くのことを感じ取ること」だと思っています。ほら、物事を感じ取りすぎると、しんどくなることもあるし、感じ取りすぎるからこそ、気配りもできるでしょう。イメージでいうと、多感さが中心にあって、外側に広がるにつれて、短所にも長所にもなる感じでしょうか。

こんなふうに考えてください。繊細さには短所・長所の両方があるけれど、その原点には、物事を深くとらえる多感さがある、と。本書では今後も、この原点を大切にしていきます。

ここで、さらに一歩進めて、繊細さを「多くのことを感じ取る力」だと、とらえてみましょう。そう、繊細さは、多感さという「力」なのです。「力」ということは、つまり活かすも殺すも自分しだいといえます。その力を上手にコントロールできれば、自分の個性に深みを与えることもできるし、人生を切り拓いていく際に、心強い味方になります(多感さが人生をどう導くのかは、2章で説明します)。そして繊細な人は、人に対する並外れた共感力をもっていて、人の役に立つこともできます(これについても、のちほど説明します)。

この本を読み終えるころには、きっと、「繊細でよかった!」と思えるはず。みなさんに、そう感じてもらいたいと願っています。

●繊細なヒロイン（ヒーロー）たち

繊細さは力だと、お話ししました。それゆえ、小説・マンガ・アニメなどの登場人物には、繊細なキャラクターがけっこう出てきます。「繊細なヒロイン（ヒーロー）って、いるのかなあ」と、意外に思うかもしれませんね。でも、繊細さを「多感力」（多くのことを感じ取る力）と考えるなら、当てはまるキャラクターはたくさんいると思います。

例えば、宮崎駿監督のアニメ映画『魔女の宅急便』（スタジオジブリ制作、一九八九年）を取り上げてみましょう。主人公のキキは一三歳の女の子で、魔女として自立するために、黒猫のジジと一緒にコリコという街にやってきました。そこで、下宿しながら宅急便の仕事を始めるのですが、初めての仕事は大失敗。大切な荷物を濡らしてしまったり、配達時間に間に合わなかったり、挙句に依頼主から冷たい言葉を投げかけられて、キキは落ち込んでしまいます。そして、がんばってもうまくできなかった悔しさから、ジジの言葉がわからなくなり、空を飛ぶ力さえ失ってしまいます。繊細な人は、人一倍落ち込んでしまうのです。多感なキキも同じです。

『魔女の宅急便』の後半では、キキが、ウルスラという絵描きの女性と旅をします。そして、森のなかの小屋で、ウルスラの絵を見て、元気を回復するという展開でした。ウルスラは、こう言います。

「ある日ぜんぜん描けなくなっちゃった。描いても、描いても気に入らないの。それまでの絵が誰かの真似だってわかったんだ。どこかで見たことがあるってね。自分の絵を描かなきゃって……」

それを聞いたキキは、人と比較するのではなく、いまの自分を精一杯生きるのでいいんだ、と気づきます。ここには、繊細な人が危機を乗り越えるときに、自分を深く見つめることで、自分の新しい可能性を発見するというテーマが描かれています。

多感な主人公は、人間味あふれるキャラクターとして魅力的です。それは心理描写や物語の展開に深みをもたらすでしょう。つまり、繊細さや多感さは、物語に必要な要素なのです。繊細で多感だからこそ、ドラマになるというわけです。みなさんも、好きな作品(小説・マンガ・アニメなど)を挙げて、繊細なヒロイン(ヒーロー)について考えてみましょう。

そして、繊細さに悩んだときは、そういう主人公がいることを思い出してください。そして、自分を重ね合わせたり、ちょっとの間それに「なりきって」みてください。気持ちが軽くなりますよ。「人生はドラマのようだ」と考えることは、自分の気持ちに余裕を生み、人生を違った角度から見るきっかけになると思います。物語を実際に創作することも、お薦めです。

●あなたはどのタイプ？

さて、ここで大切なことは、繊細さは、多かれ少なかれ誰にでもある、ということです。あなたのなかに、繊細さはありますか？　あるとすれば、どんなところが？　少し考えてみてください。

ここからは、一〇代によく見られる繊細さを、六つの特徴（タイプ）に整理していきます。みなさんは、自分がどの繊細さ（タイプ）をもっているかを振り返りながら、読み進めてください。

タイプといっても、どれか一つだけに当てはまるものではありません。「六つとも当てはまる！」という人もいれば、「一つ、二つしか当てはまらない」という人もいるでしょう。「自分にいちばん当てはまるのはこのタイプ」「二番目に当てはまるのは……」と、ぴったりくる程度で順位を付けてみるのも、よいと思います。

六つのうち、たくさん当てはまるほど、繊細な性格だといえます。とはいえ、繊細な性格が鈍感よりも良い、というわけでもありません。どんな性格にも、長所も短所もあるものですから。

もし、「どれも、あまり当てはまらないなあ」と思った場合は、「自分とは違って、そういう繊細な人が世の中にはいるんだ」と、繊細な人を理解する練習として、読み進めてもらえればよいです。繊細な人にとっては、自分を理解してもらえる人に出会うことが、何よりの支えになるからです。

さあ、それでは、繊細で多感な世界に入っていきましょう。これから説明する六つのタイプのうち、四つ（「怒っている人が怖い」「友だちの顔色をうかがってしまう」「教室に居づらい」「匂(にお)いや音などに敏感」）は、どちらかといえば短所、残りの二つ（「人の気持ちに気づく」「空想が大好き」）は、どちらかといえば長所です。ただし、そう割り切れない部分もあるので、それについてはあとで補足していくつもりです。

なお、以下の「ＳＴＯＲＹ」は、繊細な性格の典型例として、私の相談室に来る子どもたちの複数の例をもとに、私が構成したものです。

タイプ1 「怒っている人が怖い」

STORY A君の部活動でのエピソード

A君は男子卓球部に所属する中学二年生です。卓球の実力はまあまあですが、卓球が大好きで、小さな卓上で繰り広げられるリズムとスピードとパワーに、いつも魅了され、不思議な心地よさを感じていました。

所属する卓球部は、率直に言って、それほど強い部ではありません。顧問の方針もあって自主性が重んじられているため、練習が特に厳しいこともありません。逆に、それがユルい雰囲気をつくる要因にもなっていて、三年生の先輩たちは、顧問がいないと練習をサボって女子卓球部の部員とおしゃべりをすることもよくありました。もちろんA君たち二年生や一年生は、それを横目に練習に励んでいたのですが……。

　ある日、顧問の先生がいつもより早くやってきて、その雑談の現場を見てしまったのです。女子部員たちは即座に退散。ふだんは温厚な顧問が、三年生男子を一列に立たせ、声を荒げ始めました。いつもと違う空気に、その場が一瞬にして凍りつきました。

「模範を見せるべき三年生が、どういうことだ！」

　さすがに体罰はありませんでしたが、それでも、今まで見たことのない顧問の怒り方に、先輩たちの顔色は、みるみる真っ青になっていきました。

A君たち二年生と一年生は、顧問の後ろで静かに見守っていました。

「練習をしていない三年生が悪いんだ」と思っていたので、A君は最初、「天罰だ」ぐらいに考えていましたが、しだいに、その場のただならぬ緊張感に、自分も息苦しくなってきました。顧問の三年生に対する執拗(しつよう)な追及を、まるで自分が怒られているかのように感じたのです。

先輩たちが練習をサボっていたのは事実です。しかし、悪意をもって部の規律を乱そうとしたわけではありません。彼らがうなだれている姿を見ると、反省していることは明白です。体が小刻みに震えている先輩もいます。

一方、顧問はというと……その形相からは怒りが見てとれましたが、ふだんと違って怒り方がひどく感情的で、まるで個人的なイライラを三年生にぶつけているようにさえ見えました。もしかしたら、本当に別の理由があったのかもしれませんが、A君たちに知る由(よし)もありません。

「だから、チームがいつまでも勝てないんだ！」

お説教は、大会での成績のことにまで及んでいます。ここまでくると、先輩たちが、一方的に怒鳴られているようにしか見えません。

「なんか居づらい感じ……早く終わらないかな」

A君は居たたまれない思いで、その場でじっと目を閉じるのが、やっとでした。

夜に帰宅してからも、A君は今日の出来事を思い出していました。

「そういえば、昔から自分が怒られるときはもちろん、人が怒られているのを見ることも、好きでなかったな」

そういうときには、必ず心臓がドキドキして、胸が締め付けられるような、怖いような、悲しいような、どんよりしたような、重い気持ちになっていたことを思い出しました。

「明日、部活に行きたくないなあ……」

三年生も懲りただろうし、明日も顧問が不機嫌である可能性は、ゼロに近いはずだと思いました。なぜなら、今日みたいなことは初めてだったからです。でも、「ああいうことがまた起こったら、居合わせたくないなあ」という心配が、頭をよぎります。

「顧問の先生は、どうしてあんなに感情的な怒り方をしたのだろう……」

その日は、夜遅く眠りにつくまで、A君の気持ちは晴れませんでした。

翌日。A君は卓球部の親友に、「昨日の顧問の怒り方、ちょっといやだったよね」と、水を向けました。けれど彼はまるで他人事のように、「まあ、そんなもんじゃない？」と、あっさりした顔。練習が始まっても、みんないつもどおりに動いています。不思議なことに、他の卓球部員は何も感じてなさそうです。

「こんなに考えこんだのは、自分だけ？」

A君は、気にしすぎなのでしょうか……。

解説 •••• 緊迫した場面から離れたい

繊細さのタイプ1は、「怒っている人が怖い」ということです。もちろん、繊細でない人でも、怒っている人は怖いですよね。それに、怒られるのは誰だっていやなものです。

タイプ1は、単に怒られるのが怖いということではありません。もう少し説明すると、繊細な人は、「誰かが怒られている場面に居合わせるだけで、自分が怒られているわけではないのに、まるで自分が怒られているかのように感じて、いやな気持ちになる」というものです。

誰かが叱られていると心が痛む。誰かがそれで傷ついているのを見ると、自分もそれ以上に傷つく。その場の緊迫した空気から、離れたくなる。これらは、繊細な人の多くが経験していることです。

なかには、「怒っている人の感情が、槍のように飛んでくる」とか、「怒られている人の心臓がギュッてなるのがわかる」というように、イメージで表現する人もいます。繊細な人は、タイプ5で説明するように、想像力の豊かな人が多いので、その出来事をもとに、自分の心のなかで想像を膨らませてしまうのだと思います。

そして、タイプ１の人は、他の人から「怖がりだね」と言われることがあります。

●怖いや苦手にもいろいろある

苦手なのは、怒っている場面に限りません。繊細な人は、不機嫌な人、イライラしている人、しかめっ面をしている人も、怖かったり苦手だったりします。そういう人には、「なるべくかかわりたくない」「できるだけその場から退散したい」と思ってしまいます。もちろん、不機嫌な人を好きという人も珍しいと思いますが……。

そういう相手のそばにいると、実際に何か八つ当たりや、とばっちりが来てしまうことがあります。だから、「君子危うきに近寄らず」という言葉もあります。そういう警戒心に由来しているのかもしれません。

ここで、もう一歩踏み込んで、繊細さの原点、「細かいところまで注意を向け、そこから多くのことを感じ取る力」に立ち戻ってみましょう。繊細な人は、不機嫌な人が抱えている、何かしらの行き詰まり感や閉塞感を感じ取っている可能性があるのです。

不機嫌な人は、周囲に何かどんよりした雰囲気を出している、といわれますね。繊細な人が暗くて重い気分になったり、どんよりした感じになりやすいのは、不機嫌な人の心の雰囲気を感じ取るからかもしれません。

日常的によくあるのは、親が不機嫌になっているときに、繊細な子どもがそれを察知する、という状況です。子どもは、そのイライラが自分に向けられたものではないとわかっていても、落ち着きません。こういう経験が重なると、家にいても気持ちが晴れないので、その子どもは家を居場所だと感じられにくく、外へ出て遊ぶことが増えます。

● 映画やテレビの暴力的な場面も苦手

もう一つ。繊細な人のなかには、実際の怒っている場面だけでなく、映画やテレビの暴力的な場面を見るのが怖かったり苦手、という人も多くいます。

もちろん映画や番組の制作には規制があって、過激な内容や暴力的な場面は抑えられています。繊細な人は、一般的にはそれほど暴力的でない場面でも、見るのがつらいと感じることがあるようです。

例えば、宮崎駿監督のアニメ映画『千と千尋の神隠し』(スタジオジブリ制作、二〇〇一年)の物語は好きだけど、カオナシが登場して、いろんなものを飲み込んでいくシーンだけは見ない、という子どもがいました。

カオナシは黒い衣装を全身にまとい、白いお面を付けているような妖怪で、「ア、ア」という声しか発しません。主人公の千尋に、砂金を渡して仲良くなろうとしますが、うまくいかないとわかると、逆ギレして暴れてしまいます。キャラクターとしてのカオナシはそれほど怖くないと思いますが、しかし、怒りのエネルギーで我を忘れてからは、形相も変わっていきます。

それを見て、繊細な子どもは、自分がその場に居合わせているように感じて怯えたり、「もし身近な人がこんなふうに豹変(ひょうへん)したらどうしよう……」と想像しておそろしくなったりします。持ち前の「多感力」によって、作品に描かれている以上のことを多く感じ取り、自分の心のなかで想像を膨らませてしまうのかもしれません。

あるいは、繊細な人は、特に小学生ぐらいのときに、ニュースで流れる事件や事故の映像に、ショックを受けやすかったりします。さらに、漫才やコントなどで、人を叩いたりする場面がときどきありますね。繊細な人は、それを見るのが嫌いだったり、苦手だという声も聞きます。ボケに対するツッコミという舞台上の演出だと、じゅうぶんに承知していても、胸が苦しくなってしまうのです。

タイプ2 「友だちの顔色をうかがってしまう」

STORY Bさんの SNS でのエピソード

Bさんは中学三年生の女子です。Bさんは、SNSのやりとりで悩んでいます。

Bさんは、修学旅行のしおりをつくる班になりました。Bさんはマンガ・イラスト部なので挿し絵の担当です。残りのメンバーは、卓球部のYさん、修学旅行についての資料を集めてくれた男子など、六名の班でした。

みんなで修学旅行という一つの目的に向かって進み、しおりの作成は成功裏に終わりました。そして、修学旅行が終わったいまも、その班のS

ＮＳで、ときどきやりとりがあるのです。

Ｂさんの悩みは、Ｙさんのことです。

マンガ・イラスト部と卓球部だし、お互いの性格も違うので、しおりをつくるまでは、Ｙさんとの接点はありませんでした。修学旅行のときは、ふつうに仲が良かったのです。

ところが最近、Ｙさんが班のＳＮＳで、微妙なつぶやきをするようになりました。

例えば、「昨日も、卓球部で男子とおしゃべりしていたら、男子卓球部の顧問がとつぜんやってきて、怒鳴られた」という内容を書いていました。その書き込みに対しては、軽い口調で「怖っ」と返した人もいたし、何も返事をしない人もいました。

Ｂさんも、それぐらいの反応でよかったのかもしれません。

でも、少し気になったので、

「それでどうなった？」

と、ＳＮＳで聞いてしまいました。

するとＹさんは、

「そんなんじゃないよ」

と一言。

Bさんは、どういう意味なのかわかりませんでした。Yさんもそれ以上何も発言することなく、会話はそのまま止まってしまいました。

Bさんは、一人で考えこんでしまいました。「Yさんを怒らせてしまったのかなあ」「気に障ることを言ったのかなあ」「『そんなんじゃない』というのは、どういう意味だろう」と、頭のなかでグルグルと考えてしまいます。

もちろん、本当のことはわかりません。

SNSは文字のやりとりです。

「そんなんじゃないよ!」は、文字どおり「自分は怒られなかった」という事実を伝えたいのかもしれないし、「そんなんじゃないよー(笑)」と、「心配するほどではないから安心して」という意味かもしれません。あるいは、「そんなんじゃないよ……」と、Yさんの気落ちした様子を表しているかもしれないのです。

イラストなどを送って気持ちを表現できる機能もあるにせよ、「ＳＮＳは伝わりにくいなあ」と、Ｂさんはいつも感じます。

そこで、Ｂさんはマンガ・イラスト部の親友に、「このやりとり、どう思う？」と、ＳＮＳで聞いてみました。彼女は、「どうかなあ。Ｙさんの意図はわからないけど、気にしなくていいんじゃない？　言葉が足りない向こうも悪いわけだし」と、あっさりした回答。

もちろん、Ｙさんとは日常的に話すわけではないので、あまり気にする必要はないのでしょう。でも、昔から人の顔色をうかがってしまうＢさんは、どうしても気になってしまいます。

解説　いつも気を遣う

繊細さのタイプ2は、「友だちの顔色をうかがってしまう」ということです。

繊細な人は、いつも人に気を遣って過ごしています。さまざまな人の顔色をうかがい、窮屈（きゅうくつ）な思いをしながら暮らしていることが多いのです。

そして、自分の言いたいことを、なかなか言えません。「こんなことを言ったら、どう思われるかな」「嫌われないかなあ」と、いつも気にしてしまいます。その結果、自分の意見ではなく、相手の意見に合わせてしまうことになります。

人によっては、「自分の感覚が間違っているんだ」と、自分で自分を否定する癖（くせ）がついていることもあります。繊細さが強くなりすぎて、自分に自信を失ってしまうのです。これはつらいですね。繊細な人は、がんばり屋さんでもあるので、こうして相手に合わせてしまうことが増えると、「いい子」を演じすぎて、疲れてしまいます。

そして、タイプ2の人は、周りの人から「少し無理をしてない？」と言われることがあります。

●何気ないことに傷ついてしまう

もう一つ。繊細な人のなかには、叱られることが苦手な人が多くいます。もちろん、誰だって叱られるのはいやですよね。タイプ2の人は、単に叱られるのが嫌いということではありません。人からの批判に過剰に傷ついてしまうのです。

SNSは評価社会です。例えば、自分が発信したメッセージに対して、良い評価が少ししか付かないこともあるでしょう。そういった場合に、繊細な人は、「やっぱり自分はだめなのかなあ」と、極端に解釈してしまうのです。

大げさに考えてしまい、何気ないことにも傷ついてしまう癖があるのです。

この傾向は、SNS上だけでなく、実際の場面でも生じます。例えば、グループ学習の授業で、その学習成果を、クラスのみんなのまえで発表することになった場面を想像してみましょう。

まえの班の人が上手に話をしたので、あなたは「自分たちもうまく話せるかな」と少し心配になっています。教室のまえに立って、班のなかで順番に話し始めます。発表する内容は、きちんと暗記してきたので、大丈夫なはず。でも、予想以上に緊張してきました。次はあなたの番です。クラスのみんなを見ると、つまらなそうに窓の外を見ていたり、机に伏して寝ている人が、目に入ってきました……。もちろん、全員ではありません。

繊細な人は、そのことに傷ついてしまいます。「自分たちの発表がだめだから、聞いてもらえないんだ」と、自分を全否定されたように、考えてしまうのです。その人たちはたまたま外を見ただけかもしれませんし、その日の体調が悪かっただけかもしれません。他の理由があるかもしれないのに、自分たちの発表に退屈しているとしか、思えないのです。

友だちだけではありません。親や先生からの何気ない一言にも、傷つくこともあります。

ときには、大人からの「〜したらどう?」という善意の提案でさえ、否定的に受け取ってしまうことがあります。例えば、ある中学生は、親から「今日は雨が降りそうだから、傘を持って行ったら?」と言われました。繊細な彼は、「自己管理できない自分を否定された」ように感じたそうです。もちろん、親は否定のつもりで言ったわけではありません。こういうことも、繊細な人にときどきみられる、すれ違いです。

タイプ3 「教室に居づらい」

STORY C君の教室でのエピソード

C君は高校一年生の男子です。C君の悩みは、教室に居づらいことです。居づらいといっても、いじめに遭っているとか、明らかに仲間はずれにされているとか、ではありません。

例えば、休み時間が、なんとなく落ち着かないのです。みんな、それぞれ友だちとしゃべっていたり、楽しそうに過ごしているので、緊張した空気が教室にあるわけでもありません。

ただ、休み時間に友だちと雑談していると、教室のあちこちから笑い声や甲高い声、机や椅子(いす)が床に擦れる音が響いているのが、耳に入ってきます。すると、C君はそれが気になって、気持ちが落ち着かなくなり、疲れてしまうのです。実際に教室を出ないといけないほど苦しいわけではないのですが、友だちはこの

ような感覚にならないみたいだし、どうして自分だけそうなるのかもわからず、困っています。

C君には、苦手な場所がもう一つあります。それは、人混みや雑踏(ざっとう)です。

C君は、学校の行き帰りに大きな駅を経由していました。都会の駅なので、いつも大勢の人がいます。毎日の賑わいは大きな神社の初詣レベルです。その駅を通るのが、すごく疲れるのです。ときには、ぐったり「人疲れ」して、頭が痛くなったりもします。

C君自身「この感覚を説明するのは難しい……」と言うのですが、単にうるさくて疲れるわけではありません。駅にはさまざまな人が、いろんな思いで、いろんなペースで歩いています。そこにいる人たちの「気持ちの塊」に押され、飲み込まれそうになり、居たたまれない感じになるのです。

だから、C君は人混みに出かけるのが、あまり好きではありません。でも、ある週の土曜日は、少し違う体験をしました。

駅前を歩いていると、同じ学校のボランティア部の生徒たちが、被災地を支援する募金を呼びかけていました。もちろん募金をする人もいましたが、多くの人は、高校生たちのまえを素通りしていきます。

「ぼくには、人前であんなに大きな声を出す勇気がないなあ……」

C君は、同世代の姿を、尊敬の眼差しで見つめていました。一方で、がんばる様子に心を打たれ、自分も何かしたいと思いました。そして、その生徒たちの元に駆け寄り、募金箱に硬貨を入れたのでした。ふと視線を上げると、募金箱を持った女子生徒が、少し恥ずかしげに、でも気丈な面持ちで、こちらを見つめています。

「ありがとうございました」

C君が去ろうとすると、その女子生徒から、お礼を言われました。

C君は、不思議と少し元気をもらったように感じました。

解説 •••• 人疲れしやすい

繊細さのタイプ3は、「教室に居づらい」という感覚です。「教室に居づらい」という表現は、少しわかりづらいかもしれません。「仲間はずれにされていて、つらい」ことは、違います。

C君の言うように、「疲れる」といった表現がぴったりでしょうか。教室という空間がざわざわして落ち着かない感覚。あるいは、その場の人たちの「気持ちの塊」のようなものに、圧倒される感覚です。

これは、いわゆる「人疲れ」と呼ばれる感覚です。人疲れする人は、けっこういると思いますが、繊細な人の疲れは、もう少しひどいようです。人混みに出かけるときは、気を張っていないと、家に帰ってぐったりしてしまうレベルです。それで実際に、教室に入りにくくなる人もいます。

学校は、人が集まるというだけでなく、緊張した場面も多いので、繊細な人にとって人疲れしやすい場所の一つだと思います。繊細な人のなかには、そういった理由で学校を好きではないという人もいます。

●楽しい場所でも疲れる

繊細な人は、緊張した場面だけでなく、パーティのような楽しい集まりにおいても疲れることがあります。悩ましいのは、遊園地やテーマパークに行くときです。もちろん、さまざまなアトラクションを楽しむことはできるのですが、人よりも早く疲れてしまうし、疲労度も人より大きくなってしまいます。みんなと遊びに行っても、みんなとペースを合わせにくく、自分だけ休憩が必要という状況に陥りやすいのです。

そういうときには、できれば休憩を挟みながら遊ぶのがいいと、私は思います。「みんなに迷惑をかけるから」「わがままだと思われたくないから」と考えて、無理をして過ごしていると、ぐったり人疲れしてしまい、帰宅してからすごくイライラしてしまったり、次の日に何もできないほど疲弊(ひへい)したりします。

でも、自分だけ途中で「休憩したい」って、なかなか言いづらいですよね。「人混みが疲れるから」と説明しても、理解してもらいにくいと思います。そういうときは、みんなに「今日は途中で一回休憩を挟まない？」と、あらかじめ提案しておくとよいでしょう。人は、予定を事前に示されていると、理由をあれこれ説明しなくても、自然に受け入れてくれるものです。

タイプ3の人は、人と楽しく過ごしたいと思う一方で、人とペースを合わせにくいところがあります。そのことを悩んだり、葛藤したりします。そして、人からも「気にしすぎじゃない？」と言われることがあります。

C君の話に戻りましょう。C君は、みんなが楽しく過ごしている教室が苦手でした。そもそも休み時間は短くて、いちいち教室を出るわけにもいきません。こういうときは、どうしたらいいのでしょうか？

同じ教室内でも、例えば隅のほうに少し移動すると、落ち着くエリアがあったりします。同じ隅のほうでも、落ち着くエリアとそうでないところがあります。繊細な人は、そのような違いを見分け、自分にとって合う場かどうかを感じ取る「多感力」がありま す。その場を離れられないときは、可能な範囲で、そういうエリアにそっと移動するとよいでしょう。

●隣の人との距離が気になる

C君のもう一つの悩みは、隣に座っている人との距離がある程度ないと、落ち着かないことです。

C君は、カフェやファーストフード店で、隣の人と席が隣接しているのが、どうしても気になります。以前から、なんとなくそう感じていましたが、姉のEさんと話しているうちに、はっきりと自覚するようになりました。

C君は左利きです。会食するときは、左手が当たらないように、必ず左端に座ります。それは、端に座ることで、隣の人と距離を取るという意味もありました。端が落ち着くという感覚は、昔からありました。

そのことを姉のEさんに話すと、Eさんも隣の人との距離感をいつも意識していると言いました。「混み合っているカフェやレストランには、できるだけ行かないし、店員に席を案内してもらうときは、隣と離れている席をお願いするの」と言います。

C君は、「話してよかった」と改めて思いました。その表情は、我が意を得たりと明るくなっていました。


このように、繊細な人は繊細な人同士で経験を分かちあうことが、何よりホッとするようです。C君とEさんはきょうだいでしたが、話す相手は、もちろん、きょうだいでなくてもOK。

ところで、同じ悩みをもつ人同士が支えあう活動を、自助(セルフヘルプ)と呼びます。さまざまなイベントを告知するウェブサイトで検索してみると、繊細な人のための自助活動(交流会)は、地域でいろいろと開催されていることがわかります。私は基本的に、繊細な人は、繊細な人に話を聞いてもらうのがよいと考えています。

でも、誰に話を聞いてもらうのがいいかは、人によって違います。なぜなら、同じ繊細な性格といっても、さまざまなタイプの人がいるからです。この本では、とりあえず六つのタイプに整理していますが、同じ繊細な性格でも、「ずいぶん違うなあ」と感じられることも多いのです。極端な話、一人ひとりがまったく違うともいえます。

相手が「自分と同じような繊細さ」だと思って話していると、繊細な人同士でも、すれ違いや勘違いが生じます。その結果、相手を悲しませたり、いやな思いをさせたりと、不本意なことになりやすいのです。当事者同士で会話する場合、繊細さのタイプや程度には個人差があることをふまえて、相手の経験にしっかり耳を傾けることが大切でしょう。

ここまでは、どちらかといえば、繊細な性格の短所にみられやすい点を説明してきました。自分の「生きづらさ」の背景を理解できたでしょうか。ここまで読むと、「繊細な性格は、なんてやっかいなんだ」と思うかもしれませんね。

しかし、繊細な性格には、それを上回る長所があると私は思います。ここからは、それを紹介していきましょう。

タイプ4 「人の気持ちに気づく」

STORY Dさんのボランティアでのエピソード

Dさんは高校二年生の女子です。

所属するボランティア部で、被災した人のために募金活動に取り組むことになりました。学校が休みの土曜日に制服を着て、数人の部員と顧問の先生と一緒に、学校の最寄り駅でもあるターミナル駅の街頭に立ち、声を張り、募金を呼びかけるのです。

「みなさんのお気持ちが、被災地の人の力になります。募金を、よろしくお願いしまーす」

土曜日のお昼どきで、人通りはかなりあります。しかし、ほとんどの人はDさんたちのまえを素通りしていくだけ。

Dさんは、街頭に初めて立った一年前を思い出していました。人混みが苦手だったDさん。まして人前で大きな声を出してお願いをするなんて、最初はとてもできませんでした。

先輩に続いて、恐る恐る声を出してみます。

「募金を、お願い、しまーす」

振り返ると、顧問の先生が「その調子、その調子」と励ましてくれました。そばにいる先輩たちも、まずは小さくても声を出すことに慣れよう、と励ましてくれました。Dさんは胸をなでおろしました。

しばらくすると、初めての募金者が現れました。夫婦と小さな男の子の家族連れでした。「たいへんでしょうけど、がんばってね」と、その母親から声をかけられ、感無量になったことを、いまでも忘れません。

急いでいるのでしょうか、なかなかみんなは、募金の呼びかけに応じてくれません。街頭に立つたびに、Dさんは自分の非力さと、人々の非情さを痛感していました。とはいえ、もちろん恥ずかしくて募金をできない人もいるかもしれません。したくてもできない人もいるかもしれません。それはだんだんにわかってきました。

募金活動の経験を重ねるにつれ、人々の反応に一喜一憂することは減りました。その代わり、募金してくれる人のことが、不思議とわかるようになりました。わかるといっても、超能力者のように、すべてを見通すのとは違います。例えば、ある人がやって来て、募金箱にお金を入れたとします。その一瞬の表情の動きや言葉のやりとりから、

「この人もつらい思いをしたのかなあ」

「なんだか疲れてそうだなあ」

「これから楽しいお出かけかもしれない」

などと、わかるようになったのです。

「わかる」というほどではないのかもしれません。実際、それ以上のことはありません。また、それが正しいかどうかを、確認するすべもありません。

そしてDさんが、この感覚について、友だちに話したことはありません。なぜなら、

いろいろ思うことはあっても、自信がもてなかったし、人を感覚で判断するのは間違っていると、親から聞かされていたからです。

「わかる」というのが大げさであれば、募金してくれる人に対して、何かを感じることは確実にありました。それは見かけから受ける印象のことではありません。「相手も自分と似たような感覚をもっている?」と思ったこともありました。

さて、今日もボランティア部のメンバーと街頭募金に立ちます。いつものように駅前は賑わっており、いつものように多くの人が行き交っています。

大声を出して呼びかけていると、一人の高校生と思しき男子が、そそくさと駆け寄ってきました。

彼は財布から硬貨を取り出し、募金箱に入れました。一瞬、目が合いましたが、恥ずかしさも手伝って、Dさんはすぐに目をふせました。

Dさんは、彼の何かを言いたげな雰囲気を感じました。しかし言葉が出てきません。ようやく気を取り直すと、彼の背中に向かって「ありがとうございました」と、いつも以上に丁寧に告げました。

彼は振り返らずに、人混みに消えていきました。

Dさんは、しばらくその男子のことを考えていました。

「彼はボランティアに興味があるのかなあ」「それとも被災地に知り合いがいるのかしら？」

とても優しい人のように思えたのです。

Dさんは、そういう考えが浮かんでも、すぐに打ち消すことにしています。「気のせいだから」と。でも今回は、「もう一度会えたら、もう少し話してみたいな」と感じたことも確かです。

解説 ‥‥ 共感力が高い

繊細さのタイプ4は、「人の気持ちに気づく」ということです。

繊細な人は、人の気持ちに人一倍関心があるのです。そして、人の気持ちに誰よりもよく気づきます。一言でいうなら、共感力が高い、ということになるでしょう。

例えば、友だちがつらい思いをしていたら、パッとわかります。あるいは、親が不機嫌になっているときに、繊細な子どもがそれを察知することは、よくあります。もちろん、楽しい気持ちも伝わります。以心伝心という言葉がありますね。繊細な人は、以心伝心が上手な人です。

共感力の高さは、Dさんのように、初対面や見知らぬ人に対しても発揮されます。

「元気がなさそうだなあ」などと、相手の気持ちの状態を繊細に感じます。そして、直感的に考えるのが好きです。でも、どうして元気がないのか、その理由まではわかりません。タイプ4の人は、ときどき、人から「勘が鋭いね」と言われることがあります。

また、繊細な人は、思いやりのある人です。なかには、並外れた共感力をもっていることもあります。人からも「優しいね」と言われます。それを活かして、教師、カウンセラー、医療や福祉関係など、人を支える仕事をしている人もいます。

一方で、繊細な人は、共感力の高さゆえに、「こんなことを言ったら、どう思われるかな」「嫌われないかなあ」と、いつも気にしています。気にしすぎてしんどくなることも、多々あります。そして、「気持ちがわかりすぎる」ゆえに、相手に対して何も言えなかったりします。そういう不器用な面もあるのです。

STORY ・・・・ Dさんのその後

募金から、しばらく経ったある日。Dさんは、次の授業がおこなわれる体育館に向かって、仲のよい友人たちと、廊下を早足で歩いていました。そのとき、うつむきがちに歩いている、一人の男子とすれ違いました。

「土曜日の男の子だ！」

Dさんは、すぐにわかりました。

「同じ高校だったんだ。一年生かな、二年生かな……」

考えながら体育館に入ったので、授業開始ぎりぎりの時間でした。すぐにチャイムが鳴りました。

その日の夕方のことです。帰宅しようとホームの階段をあがっていくと、そこに彼が立っていました。ちょうどアナウンスが入り、彼は電車の入ってくる方へ、つまり彼女が立っているほうへ顔を向けました。

今度は、しっかり目が合いました。C君も「あっ！」という表情になりました。Dさんのことがすぐにわかったようでした。

でも、二人は、ホームの少し離れたところに立ちました。

Dさんは、意を決してC君のそばに行きました。

「このまえは募金をしてくれて、ありがとう」

C君は少し驚いた様子でしたが、

「あ、いえいえ……」と、小さな声で返しました。

「……」

でも、Dさん、そのあと言葉が続きませんでした。

少しの間があって、二人は電車に乗り込むと、お互いに意識しながらも、スマートフオンを眺めていました。

タイプ5　「空想が大好き」

STORY……Eさんのエピソード

Eさんは高校三年生の女の子です。Eさんの悩みは、ときどき友だちから、「ぼーっとしているね」と、言われることです。親や先生からも、「心ここにあらず、になってない？」と言われたことが、何度かありました。

Eさんは、それを深く悩んでいるわけではありません。なぜならEさんの感覚では、ぼーっとしているというより、自分でいろいろ考え事をしている、といったほうが、ぴったりだからです。ただ、それを他人に伝えるのは難しいなあ、と思ったりはします。

Eさんは、家の外でも内でも、「想像」することが好きです。その想像は、人に対す

る想像もあれば、物に対する想像もあります。

例えば、子どもたちが公園で遊んでいるのを見て、「この子たちは教室ではどんな様子なのかな。担任の先生が怖くて、緊張しながら過ごしているのかなあ。それとも……」などと、想像します。

レストランで、おいしいじゃがいもの料理を食べたときは、「このじゃがいもは、どこで育ったのかなあ」と考えて、広大な敷地で、じゃがいもたちが収穫されている場面が、パッと浮かびました。

先日は、散歩している犬と目が合って、「この子が人間だったら、いや、私が犬だったら、きっと友だちになれそう……」などと空想して、一人で微笑んでしまいました。街のなかでカラスがカアカアと鳴いているのを聞くと、彼らの会話がなんとなくわかる気がします。

小説を読んだり、映画を観たあとは、必ずその続きを考えます。登場人物たちはどうなっていくのか、一年後や数年後の「彼ら」を想像するのが大好きです。美術館で絵画を見たときは、作品に描かれたのが人であれば、「どんな人かなあ」「この表情から考えると、こういう人かなあ」と想像します。また、その作品が生まれた時代、画家の人生に思いを馳せることもあります。

こういう空想は飽きません。

そもそも、Eさんは、小さいころから本を読むのが大好きでした。いまから思えば、物語の世界は、Eさんの心をずっと支えていました。いやなことがあっても、本を開けば、自分だけの世界が広がります。そこには、自分を落ち着かせ、かつ楽しい気持ちにさせてくれる力がありました。

文字から場面を思い浮かべるのは、むしろ得意でした。なにしろ、国語のテストと違って正解を求める必要はないし、自由に想像できるから。シリーズものは、夢中になって読みました。ちょっと怖い場面があっても、そこは読み飛ばせばいいのです。

高二ぐらいからの読書は、物語よりも「自分とは何か」とか「生きるとは……」みたいな本に移りました。学校図書館司書の先生にも相談して、読みやすいものにチャレンジしています。「自分や人生について考えるのは、哲学や心理学が近い」という話を聞き、進学するなら、そういう学部を受験しようと考えています。

Eさんは、マンガやアニメも好きです。マンガやアニメは、想像の自由度は少ないのですが、とても感情移入しやすいです。逆にニュースの記事などは、現実の世界を書いたものなのでリアリティを感じすぎて、ビクッとしたりします。

最近は、インターネットで動画の配信をよく見ています。Eさんの関心は、「動画の配信者が、どんな思いでそれをつくっているのか」を考えることで、「将来は、自分も動画を制作してみたい」と思っています。どちらかと言えば、自分が出演するのではなく、企画したりシナリオを書いたりする役割に関心があるのです。

ところで、Eさんの弟のC君は、同じ高校の一年生。二人きょうだいで、性格も似ているところがあるので、よく話をします。

このまえ、二人で話をしていたら、C君が「教室にいるのが落ち着かない」という話題になりました。いじめられているようではありません。Eさんには、弟が教室で居心地悪そうにしている場面が、パッと浮かびました。そして、「私にもあるよ！」と言いました。それを聞いて、C君もホッと安心したようです。

いろいろ話しているうちに、C君が土曜日に募金をしたときの話題になりました。

「うちの高校のボランティア部が街頭募金をやっていたんだ。でも、通り過ぎていく人が多くて、恥ずかしくて、最初は遠巻きに見ていた。でも、大きな声を出してがんばっている姿に、自分も何かしたいと思って、募金したんだ」

もちろん、Eさんは、その光景もすぐに想像できました。

あれ、そういえば……。

「その場に、先生いなかった？　顧問のような人」

「いたよ」と弟。

「その人、私の担任(笑)」

世間は狭いね、と二人で顔を見合わせて、笑いました。

解説・・・・イメージ力が高い

繊細なタイプ5は「空想が大好き」です。空想や想像が上手なタイプです。

Eさんのエピソードにあるように、繊細な人は、小さなころから空想するのが大好きです。目の前の出来事から離れて、あれこれ想像の翼を羽ばたかせることで、気持ちが生き生きとします。また、その力で新しいことを創造したりもします。

想像力は、第一に人への関心へ向けられます。Eさんのように、自分や人生について考えるのが好きな人、あるいは社会問題に深く関心を寄せる人がいます。人に対する関心の高さは、タイプ4の共感力にも共通しますね。タイプ4の人が気持ちをパッと直感的にとらえるのに対して、タイプ5の人は、その高いイメージ力を活かして、視覚的に理解するようです。

想像の翼は、ときに動物や植物などにも及びます。繊細な人のなかには、動物の気持ちがわかるという人や、植物を育てるのが好きだという人がいます。繊細な人が「思いやりのある優しい人だ」といわれるゆえんです。また、繊細な人は、自然の近くにいると落ち着くようです。公園や森林などの緑のあるところ、海や川などの水辺、空気のきれいな場所などを訪れることで、気持ちがリフレッシュします。2章で述べるように、自然から元気をもらうことができるのです。

一方で、タイプ5の人は、人から「ぼーっとしている」ように思われることがあります。でもそれは、本人にとっては、むしろ自分の関心事について考え事をしたり、旺盛(おうせい)

な好奇心で空想に没頭している状態です。Eさんも、シリーズものの本を夢中になって読んでいましたね。自分や人生について考えるのも好きです。

私は、想像力や空想力は繊細さの利点なので、基本的には、どんどん伸ばしていくのがよいと考えています。とはいえ、人から変わった性格のように見られるのも、本意ではないことでしょう。ここが悩ましいところです。そういうときは、熱中する程度を少しだけ下げて、九割ぐらいの力加減で取り組んでみてはどうでしょうか。繊細な人は、好きなことに対しては過度に熱中しやすく、やり過ぎてしまいがちです。それで余計に疲れてしまうこともあるようです。好きなことに適度な力加減で取り組むことができるように、自制する練習も大切です。

そして、繊細な人の興味は、やがて創造することへと向かいます。繊細な人は、文章を書いたり、絵やマンガを描いたり、音楽を演奏したり、動画を制作したりするのが好きです。アートに親和性があり、将来はクリエイティブな仕事をしたい、という人が多いようです。理系に進んで、宇宙や自然の法則を探求する人もいます。

タイプ6 「匂いや音などに敏感」

STORY F先生のエピソード

F先生は二〇代、中学校の国語の教師です。担任は一年生を受け持ち、男子卓球部の顧問をしています。卓球部は、率直に言って、それほど強い部ではありません。

F先生自身は、中学・高校で所属した卓球部で厳しい練習を耐え抜き、県の選抜選手になったこともある人です。

F先生は、自分が経験した厳しい練習の意義もわかったうえで、しかし生徒たちには自分で考えて行動できる、自主性を重視した指導をおこなっていました。着任以来の数年間、その方針でやってきました。でも、最近は市大会での成績がふるわず、「この方針で、はたしてよいのか……」と、少し自信を失いかけていました。

二年生も一年生も、初心者が多いのですが、総じて意欲的でした。「いまは弱いからこそ、少しでも強くなって、いい成績を収めたい」という雰囲気がみなぎっていました。そんな二年生に刺激を受け、一年生も練習熱心でした。三年生とは、明らかに違います。

あるとき、二年生のなかでも、ひときわ真面目で主力の部員たちが、練習の終わりに、F先生の元にやってきて、こう言いました。

「先生。ぼくたちは、市大会で絶対入賞して県大会に行きたいんです。そのためには、もう少し技術的なことも教えてください！」

F先生は、衝撃を受けました。部内の雰囲気が統一できていないことは、もちろんわかっていました。しかし、これほどまでに意識の違いがあったとは。F先生は逡巡（しゅんじゅん）しました。

「勝ちにいくのか。楽しんでやるのか。近々、このことを部のみんなと話し合わないといけない……」

ただ、すぐに話し合うことができませんでした。というのも、F先生は、ここ一年ほど体調が良くなかったのです。授業と部活動の指導で精一杯だったのです。体調不良といっても、風邪をひくとか、いわゆる病気ではありません。

例えば、授業で教室を回ると、教室ごとに匂いが違います。なかには、自分にとっては落ち着かない匂いの教室もありました。そういうときは、授業も「少しやりづらいな」と感じます。また、通勤電車もそうで、特に雨の日の満員電車は、いろいろな匂いが車内に立ち込めて、乗っているのがとてもつらくなりました。

さらに、季節の変わり目には、その変調が大きくなります。気圧の変動が激しかったり、気候が不安定になったりするせいか、気分がふさいだり、ときには頭痛がおきたりします。不思議なことに、朝起きて、その不調がパッとわかるのです。

「いい大人が、匂いや天気のことで不満を言うのも……」と思って、あまり気にしないようにしていましたが、だんだん「つらいな」と感じるようになりました。

思い切って、耳鼻科を受診しましたが、特に異常はありませんでした。「お仕事が少し忙しいのでは？　ゆっくりなさってください」と言われました。

そして、体調も比較的落ち着いたある日。

「今日こそ練習のありかたや目標をどうするか、みんなと話をしよう」

F先生は、練習場である体育館に向かいました。すると、三年生の男女の部員が練習もせず、おしゃべりをしています。その横で、一、二年生は、トレーニングや台打ちをこなしています。

「模範を見せるべき三年生が、どういうことだ！」

F先生は、とうとう、ふだんは見せない形相になり、三年生に向かって声を荒げました。

解説……疲れやすい

繊細さのタイプ6は「匂いや音などに敏感」ということです。

繊細な人は、さまざまな感覚の敏感さをもっていることが多いです。それは、疲れやすさや体調の悪さとして自覚されます。ここでは、感覚の種類によって、物理的・化学的・生物学的な負荷の三つに分類してみましょう。どの感覚が敏感かは人によるので、すべての感覚に敏感というわけではありません。

① 物理的な負荷

大きな音に対して敏感な人が該当します。例えば、休み時間の教室、街の雑踏、映画館やゲームセンターなど、大音量のする場が苦手であったり、環境音のちょっとした変化が気になったりします。ときには、そういう場所から帰宅すると、ぐったり疲れてしまいます。家でも、テレビの音量などは小さめがいい、という人もいます。

また、太陽や室内灯が、人よりまぶしく感じられる人もいます。テレビやパソコン、スマートフォン、電磁調理器など、電磁波を出す機器のそばにいると、調子が良くないという人もいます。F先生のように、気圧や天気の変化で気分が優れなかったり、体調が悪くなるという人もいます。

② 化学的な負荷

匂いに敏感な人が該当します。タイプ3のC君のように、「教室に居づらい」人のなかには、教室の匂いに敏感なために疲れてしまうという場合もあると思います。タバコの煙がだめな人、灯油、排気ガス、新築の建物の建材の匂いに敏感な人もいます。

総称して、化学物質過敏と呼ぶこともあります。

③ 生物学的な負荷

触覚に関する敏感さが該当します。自分の着る服の布地がザラザラしているのがいやだったり、服の表示札(タグ)が肌に当たるのを気にしたりします。味覚が敏感な人は、食べ物の好き嫌いが多かったり、刺激の強い食品(例えば、カフェイン)を摂取できなかったりします。

なお、このような諸感覚の敏感さは、身体的な病気の症状として生じることもあります。感覚の敏感さを繊細な性格のタイプに含めるためには、頭痛や体調が悪いといった場合も、身体的な病気のないことが条件です。

感覚が敏感で、物理的・化学的・生物学的な負荷に弱いのは、いかにも日常生活を過ごしにくい、と思うかもしれません。タイプ6の人は、ときどき、人からも「気分が優れないの？」「体調が悪いの？」と心配されます。

しかし、この敏感さをむしろ活かす形で職業に就いている人もいます。例えば、音楽家のなかには、音に対する敏感さをもつ人がいます。デザイナーなど色を扱う仕事の人のなかには、光に敏感な人がいます。同様に、美容系の職業のなかにも、匂いに敏感な人がいることがあります。料理人になるためは、味や匂いへの敏感さがむしろ必要かもしれません。

このように、諸感覚の敏感さは、タイプ5の「空想が大好き」で説明したような、空想力や想像力と組み合わせることで、いろいろな場で発揮できます。2章で紹介するような工夫を参考に、ぜひ「繊細さ」や「敏感であること」を活かしてほしいと思います。

●HSPかもしれない

ここまでで、「繊細さ」の特徴を、大きく六つのタイプにわけて説明しました。周囲からどう見られやすいかという視点で、もう一度整理してみましょう。

・タイプ1の人は、他の人から「怖がりだね」と言われることがあります。
・タイプ2の人は、周りの人から「少し無理をしてない？」と言われたりします。
・タイプ3の人は、人から「気にしすぎじゃない？」と言われます。
・タイプ4の人は、「優しいね」「勘が鋭いね」と言われることがあります。
・タイプ5の人は、人から「ぼーっとしている」ように思われることがあります。
・タイプ6の人は、ときどき「気分が優れないの？」と心配されます。

六つのタイプのうち、何項目に当てはまりましたか？「六つとも当てはまる！」という人、「一つ、二つしか当てはまらない」という人、「どれも、あまり当てはまらないなあ」と思った人、さまざまだと思います。

たくさん当てはまるほど、繊細な性格だといえます。

「自分にいちばん当てはまるのはこのタイプ」「二番目に当てはまるのは……」と、ぴったりくる程度で順位を付けてみてください。まずは、自分で自分をしっかり理解してみましょう。そして、一言で繊細さといっても、いろいろな組み合わせがあり、いろいろなタイプの繊細な人がいることがわかると思います。

さて、このような繊細な性格をもつ人を、心理学では、ハイリー・センシティブ・パーソンといいます。英語の頭文字をとって、ＨＳＰ(Highly Sensitive Person)と呼びます。子どもの場合は、ハイリー・センシティブ・チャイルド(Highly Sensitive Child)といいます。

これは、アメリカの心理学者のエレイン・アーロンという人が提唱しました。人口の二〇～二五パーセント、つまり五人に一人の人が該当する、といわれています。

英語では highly sensitive という単語を使います。日本語では「繊細」という訳語の他に、「ひといちばい敏感な」「超敏感」「高い敏感性」「高い感受性」など、さまざまな訳語が当てられます。ハイリー・センシティブ・パーソンというカタカナ表記も一般的です。この本では、「繊細な人」という表現で統一しています。

ＨＳＰの定義を簡単にいうと、人に対する繊細さと、諸感覚の敏感さの両方をもっている人のことです。

これまで述べてきたタイプでいうなら、「怒っている人が怖い」（タイプ１）、「友だちの顔色をうかがってしまう」（タイプ２）、「人の気持ちに気づく」（タイプ４）、は人に対する繊細さ、「匂いや音などに敏感」（タイプ６）は諸感覚の敏感さ、「教室に居づらい」（タイプ３）、「空想が大好き」（タイプ５）は、どちらにも入ると思います。

なお、エレイン・アーロンは、ＨＳＰの特徴として四つ（深い処理、過覚醒、情動強度、感覚感受性）をあげていますが、本書では、一〇代によく見られる特徴として、六つに整理し直しました。

ここまでで、自分が「ＨＳＰ」もしくは「ＨＳＣ」かもしれないと思った人もいることでしょう。あるいは、自分の特徴がはっきりしたことで、自分の「生きづらさ」の背景が少し理解できて、ホッとした人もいるかもしれません。

また、自分はそうではない、自分には関係ないと思った人も、身近な友だちが当事者ということもあります。自分や他人を理解することは、安心できる温かい人間関係をつくるうえで大切です。多様な人とともに生きていく意味を理解するためにも、続きをぜひ読んでみてください。

●「繊細さ」は病気ではない

さて、ここでもう一つ重要なことは、ＨＳＰは病気ではないということです。「匂いや音などに敏感」の項目で書いたように、頭痛になりやすいとか、体調が悪いといった場合でも、ＨＳＰに含めるためには、身体的な病気に由来しないことが条件です。

病気ではないとしたら、何なのでしょうか？

ＨＳＰは気質と呼ばれる、生まれつきの性格で、「私らしさ」の基本になっているものです。

性格というと、みなさんはどんなイメージをもちますか？

世の中には明るい人や暗い人がいたり、社交的な人や引っ込み思案な人がいたり、大雑把な人や几帳面(きちょうめん)な人がいたりしますよね。それと同様に、「繊細な人もいれば、そうでない人もいる」ということです。

繊細な人はたしかに少数派です。少数派ですが意外に多いのも事実です。先ほどの数字を思い出してください。五人に一人が該当するのであれば、四〇人のクラスなら、八人の人がそういう気質だということです。あなたの通う学校や教室にも必ずいます。ただ、持ち合わせているタイプは、一人ひとりが違うことを忘れてはいけません。

●長所と短所は表裏一体

ＨＳＰは治すべきものではありませんが、六つのタイプの項目で見たように、いろいろな場面で、生きづらさを感じやすくなります。この本では、六つのタイプのうち、

「怒っている人が怖い」「友だちの顔色をうかがってしまう」「教室に居づらい」「匂いや音などに敏感」を、どちらかといえば短所、残りの「人の気持ちに気づく」「空想が大好き」を、どちらかといえば長所として説明しました。

ただし、そう割り切れない部分もあります。例えば、「怒っている人が怖い」「友だちの顔色をうかがってしまう」と、「人の気持ちに気づく」「空想が大好き」は、表裏一体のようなところがあります。

冒頭で述べた、繊細さ＝多感力という話を思い出してください。繊細さの中心には多感力があり、外側に広がるにつれて、短所にも長所にもなるイメージです。このように考えると、「怒っている人が怖い」「友だちの顔色をうかがってしまう」という特徴と、「人の気持ちに気づく」「空想が大好き」という特徴は、どちらも、人に対して「多くのことを感じ取る」ことから生じていると、わかると思います。

「教室に居づらい」と「匂いや音などに敏感」も同様です。環境の刺激に対して、「細かいところまで注意を向け、そこから多くのことを感じ取る」処理に由来します。長所も短所も、原点は多感力なのです。

そして、繊細さ＝多感力ととらえると、その活かし方も見えてきます。そうすれば、繊細さに伴いやすい生きづらさや傷つきやすさを、最小限に抑えることもできるようになるでしょう。

2章では、その活かし方や対処方法を考えていきたいと思います。

2章

タイプ別
対処方法を考える

●私らしさを大事にするために

1章の最後で、繊細(せんさい)さは「病気ではないので、治すべきものでもありません」と書きました。「性格の一つで、私らしさの基本になっているものです」とも言いました。

くりかえすと、繊細さそのものは短所ではありません。繊細な人は思いやりをもち、物事を深く考え、ときには人が思いつかないようなアイディアを生み出します。だから、そのままでよいし、私は、「もっと研(と)ぎ澄(す)ませたほうがいい」とさえ、考えています。

イギリスのブライアン・リトルという心理学者は、私たちは、特定の性格特性をもって生まれるけれど、自分にとって重要な事態では、その特性を超えて行動できるのだ、と書いています(『自分の価値を最大にするハーバードの心理学講義』大和書房)。

つまり、内向的に生まれても、内向さを活かした生き方もできるし、ときには外向的にふるまうこともできます。同様に、繊細さをもちながら、繊細さをもっと活かした生き方も可能です。ブライアン・リトルは、そういった変わりうる性格を「自由特性」と呼びました。

2章では、このように繊細な性格を自分で否定することなく、もっと活かしていくような方法を説明します。私が考える2章の目標は四つあります。一つひとつあげていきましょう。

① 人の気持ちに左右されにくい自分をつくる。
② 人の評価が気にならなくなる自分をつくる。
③ 人疲れしない自分をつくる。
④ 体調を安定させる。

この目標をタイプ別に見ていきます。

まず、タイプ1の「怒っている人が怖い」人の場合です。その対処方法としては、

「気持ちのバリアをつくる」「イライラに対処する」練習をすることで、人の気持ちに左右されにくい自分をつくっていきましょう。

つぎにタイプ2の「友だちの顔色をうかがってしまう」人の場合です。対処方法としては、「気持ちのバロメーター」を調整する（自然から元気をもらう、2・6・2の法則を使う）などして、人の評価が気にならなくなる自分をつくっていきましょう。

さらにタイプ3「教室に居づらい」の人の場合は、自分の感覚を信頼し、自分の中の直感を探る練習をすることで、人疲れしない自分をつくっていきましょう。

そしてタイプ6の「匂(にお)いや音などに敏感」の人の場合は、一つひとつこなしていくことや、刺激を物理的に和らげる工夫を実践することで、体調を安定させましょう。

では具体的な処方せんを詳しく解説していきます。

処方せん1　「怒っている人が怖い」タイプの人

1章のタイプ1で紹介したA君は、三年生の先輩たちが顧問の先生から怒られている様子を見て、まるで自分が怒られているかのように感じました。

これは、人の気持ちに左右されやすいという性質です。

繊細な人は、例えば、不機嫌な人、イライラしている人、しかめっ面をしている人が近くにいると、自分に対して向けられた感情でなくても、その気持ちが伝わってきて、気持ちが滅入ってしまうのです。

イメージ（図1）で考えてみましょう。人の感情は、ある人から他の人へ、音叉のように共鳴しあう面があります。例えるなら、繊細な人は、共鳴しやすい音叉を心にもっている人だといえます。

図１　人の感情は音叉のように共鳴しあう

●気持ちのバリアをつくる

それでは、どうしたらいいのでしょうか。

再びイメージで考えてみると、心の音叉を鈍くするというよりも、自分と人の間にバリアを設けて共鳴を防ぐのがよいと思います。英語でいうなら、境界線を引く(set clear boundaries)という表現になります。

ここでは、「気持ちのバリア」をつくっていく、というイメージ(図2)を練習してみましょう。

①自分の体のなかのパワーを、体の中心(お腹のあたり)に集めます。

←

②そのパワーで、全身の皮膚の表面を覆うようにします。

←

③次にそのパワーで、全身を覆う球をつくります。

←

④あるいはそのパワーで、体のまえに盾(シールド)をつくります。

←

⑤気持ちのバリアで自分がしっかりと守られていることを感じます。

うまくイメージできましたか?

図2 「気持ちのバリア」をつくる

タイプ5の「空想が大好き」の項目で紹介したように、繊細な人はイメージ力が高いので、楽しく想像できたと思います。

ふだんから「気持ちのバリア」をつくることを心がけましょう。そうすれば、自他の「境界」が厚くなり、自分の気持ちの「軸」がしっかり定まり、人の気分に左右されにくくなると思います。

ちなみに、人によって、いろいろなやり方があります。「見えないスクリーンで自分を守る」「透明なシャッターを下ろす」などのイメージで実践する人もいます。自分にあった方法を探してみましょう。

イライラに対処する

六つのタイプの項目で見たように、イライラするという性質は、繊細さそのものにはありません。しかし、気持ちのバリアをきちんとつくっていても、不機嫌な人やイライラしている人のそばにいると、人のイライラが移ってしまうことがあります。

それに、繊細な人は疲れやすい傾向があり、人は疲れたときには、どうしてもイライラしてしまうものです。次の「疲労は大敵」というエピソードを読んでみましょう（串崎真志『心は前を向いている』岩波ジュニア新書、一二二～一二三頁）。

> A君は勉強は好きでないけれど、部活動に対しては自負心をもってがんばっていました。今日は試合前のとくにきびしい練習で、さすがのA君もいつも以上に疲れを感じています。帰ってきて着替える気力もないまま、リビングのソファーにぐったりしていました。そこに父親が帰宅しました。じつは父親も会社で上司に叱られ（中略）、なんとも言えない疲弊をかかえての家路でした。
> さて父親が家に帰ると、息子がリビングから気のない返事をしています。ふだんなら、さほど気にならないのですが、今日にかぎって横柄な態度に感じられ、「このまえ、考えると言っていた、進路のことはどうなったんだ」と、口をついて出て

しまいました。息子は息子でいらっとしたようす。「なんでいま、そんなこと聞くんだ」とばかりに、にらみ返します。そのあとどうなったかは、ご想像のとおり。

このような些細なけんかは、親子に限らず、友だちや恋人同士のあいだでも、ときどきありますね。

特に、一〇代は第二次性徴の最中にあり、ホルモン・バランスの関連で、繊細であってもなくても、イライラしやすい年代です。体が成熟の途上にあるので、それはしかたのないことだと考えられています。

例えば、ゲームでうまくいかないときは、イライラしませんか。また、努力しているのに誰にも認めてもらえなかったり、勉強しているのに成績が上がらなかったりすると、イライラしませんか？

そんなとき、みなさんはどうしているでしょうか？　コントローラーをバンッと投げつけたりしていませんか？　誰かにあたったり、返ってきたテストを破いたりしていませんか？

イライラしたら、壁をドンッと叩いたり、蹴ったりしたほうが、ストレス解消になる、という人がいます。

でも、それは違います。ますますイライラしてしまうのです。「怒りの表出は火に油を注ぐ」というのが、心理学の回答です(そういう題の研究があるのです)。

それでは、イライラには、どう対処したらいいのでしょうか。

三つの方法があります。

① 六秒ルール

誰かを(何かを)衝動的に攻撃したくなったら、怒りに任せるのではなく、心のなかで六秒間、数を数えましょう。これは六秒ルールという方法です。怒りの持続性は短いので、この「待ち」の時間を取るだけで、怒りは収まるといわれています。

② 日記をつける

この方法は怒っている瞬間というより、イライラしたあとに対処する方法ですが、日記をつけるとよいと言われています。日記というと古風ですが、ブログでもSNSでもかまいません。不安などの否定的な気持ちは、言葉にすることで和らぐことが知られています(ただし、オンライン上に公開するときは慎重にしましょう)。

③ 軽い運動

三つめは軽い運動です。これは、どちらかというと、イライラを予防する方法です。ウォーキングなどの全身の有酸素運動は、血行を良くし、気分転換にもなります。体がほぐれると、心もほぐれるのです。音楽に合わせたダンスも、楽しくて効果的だと思います。

どうですか？　イライラは解消されそうですか？

処方せん2　「友だちの顔色をうかがってしまう」タイプの人

タイプ2のBさんは、SNSのグループで、Yさんのつぶやきに対してどう反応したらいいのかわからず、一人であれこれと考えこんでしまいました。もちろん、これはYさんの言い方が悪い、という見方もできます。

しかし、他のメンバーがそれを気にしていないことを考慮すると、Bさんが、他者の言動や人からどう思われているかを気にしすぎている、ともいえるでしょう。

特に一〇代は、ホルモン・バランスや脳の成熟度との関連で、人からどう見られているかがたいへん気になる年代です。繊細な人はなおさらで、「こんなことを言ったら、どう思われるかな」「嫌われないかなあ」と、いつも気にしたり、他人が発した何気ない一言に傷ついたりするのです。

それでは、どうすれば、人の目が気にならなくなるのでしょうか。

●気持ちのバロメーターを意識する

私は、繊細さについて相談に来る人に対して、気持ちのバロメーターを意識する、という練習を勧めています。「なんだか難しそう……」と思うかもしれませんね。その手順を具体的に説明するので、まずは読んで、そして実践してみてください。

バロメーターは本来は気圧計という意味ですが、ここでは、自分の気持ちの状態を示す指標と考えてください。自動車のスピードメーターがわかりやすいでしょうか。速度が上がると数値が大きくなる、そういう目盛りです。

それでは、頭のなかで、次のような目盛りを思い浮かべてください。両端に、「楽しい」(一〇〇点)、「つらい」(〇点)というラベルの付いた目盛りです。

そして、今日の自分の気持ちを振り返ってみてください。「楽しい」から「つらい」の間で、点数で示してみましょう。今日の「楽しさ」の程度を、一〇〇点満点で考えてみるのです。

あるいは、こういう考え方もあります。「楽しい」とも「つらい」とも言えない中間（または両方が同じ程度ある中間）を五〇点とします。今日の気持ちが、そこからどれほど「楽しい」か「つらい」かで、点数を付けるのです。

ここで、あえて「今日の」と説明したのは、このバロメーター（図3）は、毎日（あるいは刻一刻と）変化するものだからです。例えば、好きな人や片思いの人と会話できた

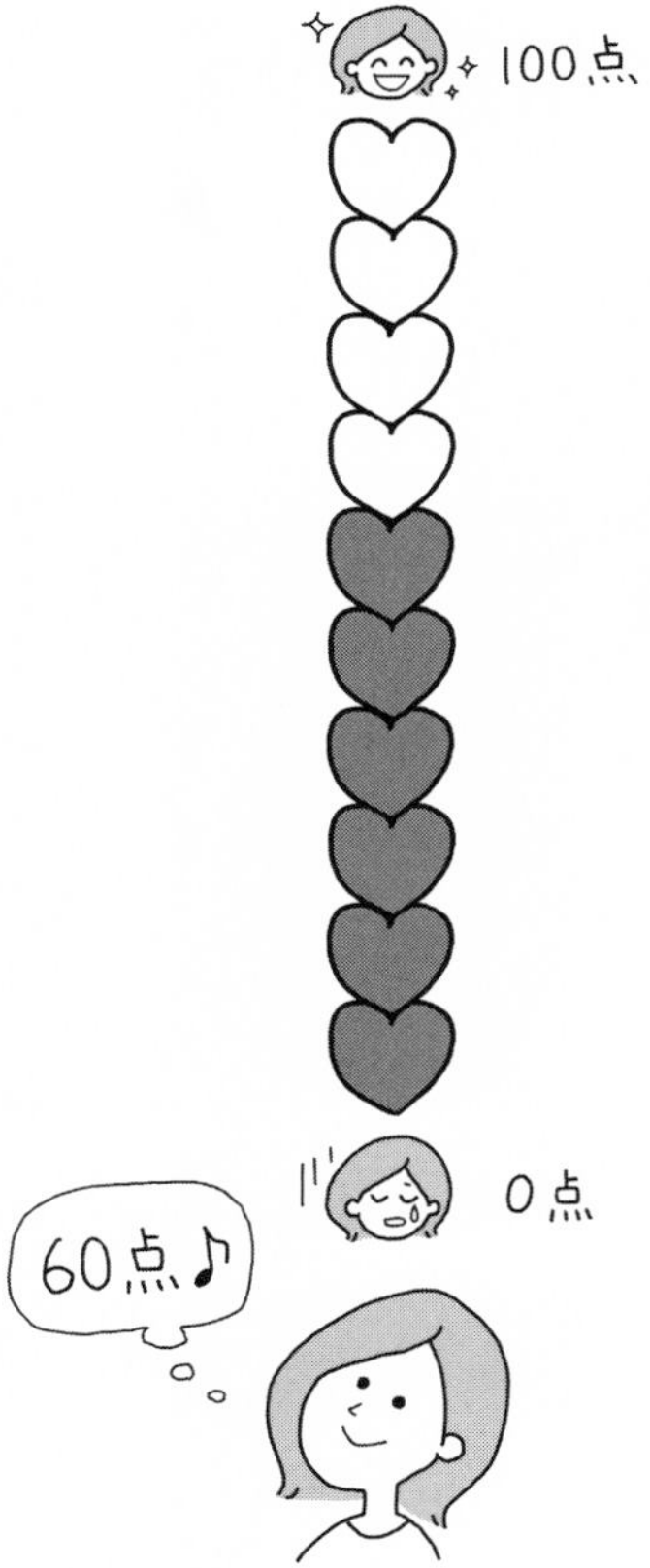

図3　気持ちのバロメーター

ら、楽しい気持ちになりますね。点数はきっと、中間の五〇点より「楽しい」ほうに動くと思います。逆に、一生懸命がんばっているのに、うまくいかなかった日は、つらい気持ちになるものです。点数は五〇点より「つらい」ほうに移動するはずです。

こんなふうに、気持ちのバロメーターは変化しやすい目盛りである、とイメージしてください。

そして私は、繊細さのことで相談に来る人に対して、毎日五〇点以上をキープすることをお薦めしています。なぜなら、気持ちのバロメーターが五〇点を下回ると、顔色をうかがってしまうことや、人の目を気にしてしまうことが増えるからです。

「五〇点？　そんなに低くていいの？」と、驚いた読者もいるかもしれませんね。そう、気持ちのバロメーターでは、一〇〇点をめざす必要はないのです(もちろん、点数が高いのは良いことですが)。「楽しい」が「つらい」を少しでも上回っていれば、毎日を生きる力として十分です。

いまの目盛りは何点ですか？

もし、その目盛りが五〇点を下回っていても、大丈夫です。気持ちを調整すればよいのです。次に、それを練習してみましょう。

●気持ちのバロメーターを調整する

繊細な人は、そもそも疲れやすい傾向があります。疲れを感じるということは、気持ちのバロメーターが五〇点を下回ることが毎日続いている、と考えられます。そうなると、生きるパワーも少なくなり、例えば、処方せん1の「気持ちのバリア」を実践しても、効果があまり出ないようです。

それでは、どうやって気持ちのバロメーターを五〇点以上に調整するのでしょうか。方法は二つあります。一つは自然から元気をもらう方法、もう一つは「自分の見方」(フレーム)を変える方法です。

まず、一つめにあげた「自然から元気をもらう方法」を練習しましょう。

図４　自然から元気をもらう方法

イラスト（図4）のような映像を、自分のなかでイメージしてみてください。できたら、次のことを順に、やっていってください。

①自分の体のなかのパワーを、体の中心（お腹のあたり）に集めます。
↓
②自分の好きな木のそばに行って、静かに深呼吸します。ゆっくり大きな動作にしてやってみてください。
↓
③自分の足元と木の根がつながっているのをイメージします。
↓
④木のパワーが足元から入り、体を通って頭上から出て、木に戻るという、ループをイメージします。

だんだんに、自分のなかにパワーが補給されていくことを感じるようになります。

自然から元気をもらうイメージを、しっかり想像できたでしょうか？　そのあとで、気持ちのバロメーターをもう一度意識してみてください。バロメーターは「楽しい」が「つらい」を少しでも上回ったでしょうか。客観的には木の傍らにいるだけですが、繊細な人の気持ちは大きく安定すると思います。

●「2・6・2の法則」で考える

続いてもう一つの方法について説明しましょう。それは「自分の見方」(フレーム)を少し変えることです。そうして気持ちのバロメーターを五〇点以上に調整していく方法です。

繊細な人が、「こんなことを言ったら、どう思われるかな」「嫌われないかなあ」と、相手の顔色をうかがってしまう背景には、「人に嫌われたくない」「多くの人に好かれたい」という気持ちが強くあります。

でも、人はそもそも、全員に好かれることはありえません。

ビジネス書にもときどき登場する、「2・6・2の法則」(2–6–2 principle of persuasion)を使って、考えてみましょう。それは、この場に一〇人いた場合、次のような法則が成り立つ、というものです。

・あなたに賛成してくれる人は必ず二人いる。
・逆に、あなたに反対する人も必ず二人いる。
・そして、残りの六人はどちらでもない人たちである。

つまり、自分がどんな状態であっても、二人は味方してくれますし、好きになってくれるということです。逆に、自分がどんなに努力しても、優れていても、二人からは悪く言われ、嫌われてしまうのです。残りの六人は付和雷同(ふわらいどう)で、関心がなかったり、どちらでもなかったり、いい加減だったりします。

この法則は、厳しい(寂しい)現実を表しているように聞こえます。

一方で、自分に賛成してくれる二人としっかりコミュニケートできれば、それで十分という考え方にもなります。残りの人に好かれなくても、一喜一憂することはありません。無理に好かれようとする必要はないのです。「2・6・2の法則」は、いわば人を見る「眼鏡」のレンズを変える方法です。自分が気にする対象を二人に絞るだけで(つまり、レンズを変えるだけで)、人の顔色を過剰に気にする必要がなくなります。

こうして心がリラックスすると、気持ちのバロメーターも自然に五〇点を上回ると思います。

処方せん3 「教室に居づらい」タイプの人

タイプ3のC君のエピソードを思い出してみましょう。休み時間の教室のざわざわしている雰囲気が落ち着かない、という悩みでした。C君の居づらさは、人の「気持ちの塊（かたまり）」に押されるようだという感覚で、いわば人疲れに相当するものでした。

学校は、緊張した場面や切迫した場面が意外に多いので、繊細な人にとって、人疲れしやすい場所の一つだと思います。特に日本の学校は、「同調圧力」という言葉にも表れているように、集団での規律を重視しています。繊細な人は、そういった「学校文化」をプレッシャーに感じて、つらくなったり、学校に行けなくなったりすることもあるようです。

不登校の経験を経て、生け花アーティストとして活動する末富晶さんは、不登校になったきっかけを、次のように書いています(『不登校でも大丈夫』岩波ジュニア新書、六〜七頁)。

友だちや先生とのやり取りの中で、「今はきっとこう言うべきなんだろう」「こんな風に振る舞うべきなんだろう」という考えがだんだんと出てくるようになるにつれ、実際に私は自分が思う「学校の中での正しさ」に合わせて発言したり行動したりするようになっていきました。けれどそれは本来の自分の思いや考えとは別のものであったりすることが多く、だんだんと本当の自分の気持ちが分からなくなってくるような、心がバラバラになってしまうような危機を感じるようになったのです。

彼女の言葉に共感する人も、読者の中には多くいるのではないでしょうか。

同じ状況でも他の子は学校に通っているのだから、「わがままだ」と受けとられることもあるでしょう。それだけでなく、繊細な人は、親や友だちから「大げさだ」「気にしすぎ」と言われ続けて、自分に自信を失っている場合があります。

また、繊細な人は、他の人が自分と同じように感じていないとわかると、「自分の感覚のほうが間違っているんだ」と、自分の考えや感じ方を否定しがちです。こうして、自分の意見を主張するのではなく、相手の意見に合わせることが多くなると、生きづらさもさらに大きくなってしまいます。

自分の感覚を信頼する

そこで私は、繊細さについて相談に来る人に対して、「自分のその気持ちや感覚を、まず信頼してください」と、お伝えしています。例えば、

「いまは教室に入りづらいなあ」
「今日は学校に足が向かないなあ」
「人混みは疲れるなあ」
「この雰囲気は何か圧倒されるなあ」

などと感じたら、他の人はそう感じていないからといって、自分のなかの気持ちや感覚を打ち消さずに、「「きっと、そう思える何かがあるんだろう」と、まず自分のなかの気持ちや感覚を認め、信頼することが大切ですよ」と、伝えます。

しかし、

「繊細な感覚にしたがって暮らしていたら、それこそ大げさで、気にしすぎる人にな

るのでは？」

「繊細な感覚を通していたら、どんどん、わがままになっていくのでは？」

などと、心配する人もいるでしょう。

たしかに、「教室に入りづらい」からといって、「私だけ別の教室にしてください！」というわけにはいきませんよね。人が環境を変えようと思っても、物理的な制約はどうしてもあります。

しかし私は、だからといって、「教室に入りづらい」という感覚を抑圧する必要もないと思うのです。それどころか、むしろその感覚をしっかりと認め、そこから自分の道を拓いていくのが、繊細な人たちにとっての生きやすさにつながっていくのではないかと思っています。

●自分のなかの直感を探る

では、どのようにしたら、自分の道を拓いていくことができるのか、生きやすさにつなげていけるのかを考えていきます。自分のなかにある気持ちや感覚を認め、続いて、その感覚に関連する直感を探る、という二段階で練習しましょう。

まず、その気持ちや感覚が自分のなかにあることを、しっかりと認めましょう。例えば、「教室を変えるわけにはいかないけれど、教室に入りづらい感覚は、自分のなかにやっぱりあるなあ」というように。心のなかで、その言葉を大切に抱えるイメージを思い浮かべます。

次に、そう感じる自分のなかの感覚に関連する直感を探ります。これは少し難しいのですが、例えば、「教室に入りづらいなあ」という感覚が、「教室」に関する感覚だけではないと、考えてみるのです。心のなかで、「教室に入りづらいなあ」という言葉を大切に抱えながら、そのイメージにしばらく浸ってみます。

すると、ときどき、新しいイメージがパッと浮かんでくることがあります（いつも、そうなるとは限りません）。例えば、「最近、友だちとの関係で、少し無理をしているかもなあ」というように。これが、自分の道を拓いていくヒントになる、直感的なメッセージです。

「もしそうだとしても、何も変わらないんじゃない？」

「もしそうわかったとしても、よけいに苦しくなるんじゃない？」

という声も聞こえてきそうです。その意見にも、一理あります。

でも、繊細な人は直感力が高いといわれています。タイプ4のDさんを思い出してください。彼女は引っ込み思案な性格ですが、募金してくれた人の一瞬の表情や何気ない言葉から、相手の気持ちや、その人のもっている空気を感じ取っていましたね。

これは、繊細な人がもっている並外れた共感力・直感力を示しているといえます。直感力は、物事の大切な本質をとらえる力です。繊細さを専門にする、アメリカの精神科医ジュディス・オルロフは、「繊細な人にとって直感は友だち、共感は大きな財産」(『Thriving as an Empath』四頁、二四三頁)だと言っています。

自分の体に意識を向ける

では、直感は本当に正しいのでしょうか？

「直感に頼るのは、間違った見方や偏見につながるんじゃやない？」

「そんなふうに人を感覚的に判断するのは、よくないのでは？」

そういう意見もあると思います。たしかに、心理学の研究では、直感的な判断はバイアス（思い込み）なので間違っている、という説が多いと思います。1章のDさんも、自分の感覚に半信半疑なところがありましたね。

ところが、繊細な人は、むしろ直感に従ったほうが、よい判断につながったりします。心理学的にいうと、直感は体の感覚です。自分の体にしっかり意識を向けることで、直感的なイメージが浮かびやすくなります。その手順を以下に説明するので、練習してみてください。

ここでは、体のなかでも、腹・皮膚・鼻に意識を向けてみましょう。最初に心のなかで、それぞれ次のように意識します。

一つめは「腹の感覚」です。「腹の虫が収まらない」「虫の居所が悪い」というように、気持ちの源を「腹」(の虫)に例えることがありますね。また、予感がすることを、「虫の知らせ」といったりします。英語でも「gut feelings」といいます。ちなみに、腹(おへその下のあたり)は、東洋医学で丹田(たんでん)といって、あらゆる健康の源とされています。つまり、お腹の感覚は、自分が進む指針になります。

二つめは、「皮膚の感覚」です。「肌で感じる」「肌が合わない」というように、感覚的に合うか合わないかは皮膚がよく知っているのです。恐怖や感動は「鳥肌が立つ」、英語では「goose bumps」といいます。気難しいは「thin-skinned」で表します。つまり、皮膚には、自分の感情を知るヒントがあります。

三つめは「鼻の感覚」です。勘が鋭い様子を「鼻が利く」「嗅ぎ分ける」「何か匂う」などと言いますね。英語でも「sensitive nose」と表現します。つまり、鼻は、自分にとっての価値を判断する手がかりになります。

それでは、準備ができたところで、いまあげた三つの体の感覚をしっかり意識する練習をしてみましょう。

①自分の意識を、体の中心（お腹のあたり）に集めます。そこに力をこめてください。パワーが集まってきているとイメージしてください。ランプもしくはろうそくに火が灯る感じです。

②集めた力が広がって、全身の皮膚の表面を覆うようにイメージしてください。マントもしくは大きなストールをかぶるような感じです。しっかり身につけましたか？

③①②をしっかり意識できましたか？　そうしたら鼻に意識を向けます。新鮮な空気が体のなかに入ってくるのを感じましょう。

体の感覚をしっかり意識できるようになったところで、何度も、くりかえしてみてください。そうして自分のなかの直感を探っていきます。それができるようになったら、続いてその直感に関連するイメージを深く探ってみてください。

例えば、心のなかで、「人混みは疲れるなあ」「この雰囲気は何か圧倒されるなあ」という言葉を大切に抱えながら、そのイメージにしばらく浸ってみましょう。新しいイメージがパッと浮かんできませんか？　そこまでできるようになれば、もっともっと生きやすくなっていきます。

処方せん4　「匂いや音などに敏感」なタイプの人

タイプ6のF先生は、教室や電車の匂いが気になったり、天気によって調子が悪くなったりしました。くりかえしになりますが、人に対する繊細さをもつ人は、諸感覚の敏感さをもっていることも多く(すべての感覚に敏感というわけではありません)、これが繊細な性格の定義に含まれています。

1章で見たように、繊細さ=多感力であり、その源は、「細かいところまで注意を向け、そこから多くのことを感じ取る」性質です。細かいところまで注意を向ける対象が、人なのか周囲の環境なのかによって、人に対する繊細さか諸感覚の敏感さかという、表現型が異なると考えられます。

●一度にたくさんのことを処理するのが苦手

ところで、「注意を向ける」「感じ取る」と書きましたが、本人の実際の感覚としては、もっと受動的です。


「注意を向けたいわけじゃないけど、気づいてしまう」

「感じ取りたいわけじゃないけど、入ってきてしまう」

というのが、繊細な人の実感に近いと思います(もちろん個人差はあります)。

こう考えるとわかりやすいでしょう。繊細な人は、例えるなら高感度のアンテナ、高性能のマイク、高解像度(かいぞうど)のカメラをもって暮らしているとイメージしてください。

高性能のセンサーをもつがゆえに、入ってくる情報が多すぎて、処理できる容量をすぐに超えてしまいます。本人の感覚としては、「すぐに、いっぱいいっぱいになってしまう」のです。

例えば、繊細かどうかをチェックする項目に、次のようなものがあります。

・一度にたくさんの事が起こっていると不快になりますか？
・短時間にしなければならないことが多いとオロオロしますか？
・一度にたくさんのことを頼まれるとイライラしますか？

繊細な人の場合、三つのうちのいずれの項目にもチェックが入ることが多いという統計があります。

このように、繊細な人は、一度にたくさんのことを処理する状況（並行処理）が苦手です。気持ち的にも慌ててしまって、パニックになりやすいようです。

●一つひとつこなすことを心がける

例をあげてみましょう。

繊細な人のなかには、部屋を片づけるのが苦手な人がいます（逆に、むしろ片づけ上手な人もいます）。片づけるためには、自分のなかでよく使う物とそうでない物、大切な物とそうでない物を仕分けし、その仕分けごとに置き場所を決めるなどしないといけません。これは、かなりの並行処理を伴います。

それゆえ、繊細な人のなかには、一度にたくさんの物を片づけようとすると、脳に入ってくる情報が多すぎて、その処理容量を超えてしまって、「とても無理！」「お手上げ……」になる人がいます。

そういう場合は、どうすればよいのでしょうか。

私は、繊細さについて相談に来る人に対して、「一つひとつ(スモール・ステップ)を心がけましょう」と、お伝えしています。繊細な人は一度にたくさんのことを処理しようとすると、慌ててしまいがちだからです。逆に言うと、繊細な人が物事を進めるときには、一歩一歩進んでいくイメージで取り組むのがよいのです。

繊細な人は、一つひとつこなすのでよいと思うと、気持ち的にも安心します。そのうえ、持ち味である細かな注意力が逆に奏功して、物事を人よりも丁寧に仕上げることができるのです。

ですから繊細な人は、部屋を片づけるときに、全部を一度に整頓しようとすると、何をどうしていいのかわからなかったり、うまく片づかなかったりします。そこで、例えば、「今日は古い教科書を片づけよう」とか、「文房具だけを整理しよう」とか、片づける物や種類、場所を限定して、それだけをこなすように決めます。ただし、何をどの順序で整理するかは、片づけ上手な人からアドバイスをもらいましょう。

「それでは、いつまでも片づかないのでは……?」

「部屋の散らかり具合は、何も変わらないんじゃない?」

という意見はもっともです。しかし繊細な人は、実際、目の前のことを一つひとつこなすのが得意だったり、作業効率も人より優れていたりします。

老子の言葉に「千里の道も一歩から」(千里の行も足下に始まる)という言葉があります。繊細な人は、これを合言葉にがんばりましょう。

学校の場面でいうと、先生の話を聞きながら、黒板をノートに写すような作業が、並行処理に該当します。小学校低学年ぐらいの繊細さんだと、黒板を板書しているだけでも、目と手を使うだけで、脳がいっぱいいっぱいになります。そんなときに、先生が質問しても、耳に注意が向いておらず、パッと答えられないことがあります。もちろん時間があれば、きちんと正解するのですが。このような場合は、先生が子どものペースに合わせ、子どもが板書してから質問を投げかけるしかありません。ですから、仮にクラスメートが答えられて、自分ができなくても、落ちこんだり、あせったりする必要はありません。

また、年齢があがると個人差はありますが、対応できることも増えていきます。一方で新たに対応する力を求められることも出てきます。代表的なのがスマートフォンです。スマートフォンは便利な道具ですが、かなりの並行処理を必要とするので、スマートフォンを触(さわ)っているだけで、脳の処理容量が相当消費されています。それゆえ、スマートフォンを気にしながら、他のことをしていると(例えば、人と会話するなど)、脳はすぐに「いっぱいいっぱい」になり、相手の話を聞く余裕もなくなります。繊細な人が誰かとおしゃべりするときは、できればスマートフォンの電源をオフにするほうが、気持ちに余裕をもって、相手の話を聞けると思います。スマートフォンの使い方を工夫するとよいでしょう。

●刺激を和らげる工夫

次に、感覚の敏感さには、どう対処したらいいのでしょうか。

思い出してください。繊細な人は、例えるなら高感度のアンテナ、高性能のマイク、高解像度のカメラをもって暮らしている人です。ここで、もし高性能のセンサーを鈍らせることができれば、楽なのでしょうが、それは難しいと思います。

それゆえ、脳に入ってくる刺激をいかに物理的に和らげられるかが、工夫の鍵になるでしょう。私は相談に来る人たちに対して、具体的に次のようにアドバイスしています。なお、諸感覚の敏感さや並行処理の苦手さは、3章で説明するように、別の原因でも生じます。その原因によっては、医師にかかることも選択肢の一つになります。

① 人混みが苦手な人、あるいはさまざまな物が「目に入ってきて」気になってしまう人は、視界がぼやけたほうが楽に過ごすことができます。くれぐれも危険のない範囲で実行すべきですが、メガネ(コンタクトレンズ)を外してみたり、度の少し弱いレンズにかけ替えたりするとよいでしょう。

逆に、目の良い人は伊達眼鏡(だてめがね)をかけると、自分と環境の間にガラス一枚で隔たりができ、それだけでも不安が和らぎます。

②タイプ3のC君のように、駅での人混みが苦手な場合、あるいは混雑した駅で乗り換えるときは、その駅のなかでも、比較的人通りの少ない経路を見つけて通ってみましょう。繊細な人は、そういう経路を発見するのも上手です。

あるいは、なかなか難しいと思いますが、可能な範囲で通学の時間帯を変えるなど、人混みを物理的に避けることができれば、それに越したことはありません。

③音に敏感な場合はどうすればよいでしょうか。大きな音に驚く場合と、小さな音が気になってしまう場合がありますが、耳栓(せん)をしたり、イヤホンで好きな音楽を聴いたりすることで、ずいぶん軽減されるようです。ノイズキャンセリング機能の付いたヘッドホンを試すのも一案です。ただし、耳栓そのものに違和感があるという人もいます。

④匂いに敏感な場合は、好きな匂いを身にまとうのがいちばんです。部屋には、アロマやお香などで香りを焚きましょう。外出するときは、つけすぎに注意しつつ香

水やクリーム、アロマペンダントなどの香りで、自分を包むのがよいようです。マスクに好きな香りを付けて出かけるのも、簡単でよい方法です。

⑤人に対する繊細さは、肌の露出を減らすことで、少しましになるようです。顔や首回りをストールで覆うと、安心するという人もいます。「マスクをすると、守られている感じになる」という、繊細な人もいました。あとは物理的ではなく、心理的な効果ですが、自分なりのお守り(キャラクターのグッズなど)を身につけると、ずいぶん心強くなるようです。

⑥もし寝つけない場合は、不眠に対する一般的な工夫を試してみましょう。まず入浴で体を温め、部屋を薄暗くし、好きな香りや音楽に少し浸ります。電化製品からできるだけ離れ、自分のなかで眠気を感じてから、ベッドに入ります。眠れなかったら、いったんベッドを離れるほうが、寝付く練習になります。

⑦ふだんの疲れを軽減する方法も、一般的な工夫と同じです。マッサージや鍼灸(しんきゅう)などで、体をほぐすのがよいという人もいます。「イライラに対処する」の項目で書

いたように、軽い運動も効果的です。ウォーキングなどの全身の有酸素運動は、血行を良くし、気分転換になります。体がほぐれると、心もほぐれるのです。

3章

当事者を生きる、
非当事者を生きる

当事者を生きる

1章と2章で説明したように、繊細（せんさい）な性格そのものは病気ではなく、治すべきものでもありません。しかし、ときにそれが高じて不安な気持ちが強くなったり、周囲とうまくいかなくなったり、ひどく落ち込んだり、場合によっては学校に行きにくくなったりすることもあります。そうでなくても思春期は、いろいろな悩みが噴出してくるときです。

その生きづらさが、自分の手に余るぐらいになったときは、誰に、どこに相談したらよいのでしょうか？

●誰に相談する？

自分の身近にいる保護者に相談できればまずはいいでしょう。なかには「親に相談しにくい」「心配かけたくない」という人もいるかもしれません。けれどもわが子の悩んでいる姿に気が付く親御さんもまた多いのも事実です。ゆっくりと話してみるのも一つの方法です。

でも、どうしても無理、と思うなら別の方法もあります。

●学校のなかで相談する

親など身近すぎる大人には相談できないな、と思うみなさんにとって、相談の相手として望ましいのは、スクールカウンセラーだと思います。あなたの学校にもきているはずです。校内に常駐している場合は、直接、話を聞いてもらえる日時を確かめてみましょう。常駐していない場合、また詳しいことがわからない場合は、保健室の先生に聞いてみることをお勧めします。来校する日や時間などを教えてくれるはずです。

スクールカウンセラーは、公認心理師という国家資格をもっていることが多く、相談を聞くプロフェッショナルです。みなさんを怒ったり、お説教したりすることはありません。話をきちんと聞いてくれますし、問題にどう対処したらいいかを一緒に考えてくれます。

ただし、繊細なみなさんは、「公認心理師であれば誰でもいい」とは思わないでしょう。なぜなら、繊細な人は、気の合う相手に話を聞いてもらいたい、という気持ちが強いからです。それでは、気が合うかどうかを、どうやって判断するのでしょうか?

私は、このような場合も、繊細な人は、自分の直感を大切にして判断するのがいいと思います。まずは一度、スクールカウンセラーと話をしてみることです。

そういう意味でいうと、相談する相手は、スクールカウンセラーに限りません。学校には、教育相談の担当の先生、保健室の先生、担任の先生も含めて、大勢の大人がいます。みなさんが「話してみたい」と思った大人に、まず話してみるのがよいと思います。もし「話してみたい」と思った大人が、繊細な性格について、あまり詳しくなかったら、どうすればいいでしょう?

そのときは、この本を渡すか、巻末の「参考文献」にある本を手渡して、理解してもらってください。そのうえで、話を聞いてもらいましょう。大人も、すべてを知っているわけではないのです。「理解をしてもらうのに時間がかかることもある」ぐらいの、おおらかな気持ちでいることも大事です。

●学校の外で相談する

学校のなかには、このように相談する先生や相談する体制が整っています。それだけではなく、学校の外にも、安心して話せる場所や避難できる場所があります。もし学校の外で相談したいなあと思ったときは、どこに、誰に相談したらいいかを説明します。

私のお薦めは、地域の病院にある「思春期外来」(児童思春期外来)です。以前は大病院にしかなかったのですが、最近は町の診療所にもみられるようになりました。病院に行くのは、お金もかかることですし、スクールカウンセラーに相談するのと比べてハードルが高いかもしれません。このときは、親御さんに協力を仰いだほうがいいでしょう。多くの親御さんは、子どもの助けになりたいと思っているはずです。遠慮はいりません。

さて、思春期外来といっても、なかなか目にしたことがないと思うので、少し詳しく紹介します。思春期外来の特徴は、何よりも、話をゆっくり聞いてくれる体制が整っていることです。そのために、予約制であることが多いです。初めて行く場合は、「予約が必要ですか」と電話をして様子を聞いてみましょう。急を要する場合は、そのことを伝えましょう。対処してくださることもあります。

思春期外来では、児童期や青年期を専門にする医師や看護師、思春期に理解のある公認心理師や精神保健福祉士がスタッフとして迎えてくれます。病院として診察はもちろん、必要に応じて検査や投薬も受けられます。ゆったりと落ち着いた雰囲気で、カウンセリングも充実しています。思春期外来の様子を知りたい人は、医師の青木省三さんの本(『僕のこころを病名で呼ばないで――思春期外来から見えるもの』ちくま文庫)を読んでみてください。こんな感じのところ、というのがわかると思います。もちろん、すべての病院が、青木先生のところと同じというわけではありませんが、だいたいの様子はイメージできるようになるでしょう。

大切なのは、学校のなかでも学校の外でも、自分の気持ちを安心して相談できる場所、人がいるということなのです。

●H君の場合――ケース①

それでは、ここで、繊細さが高じて不安が強くなってしまったH君の例を紹介したいと思います。

Ｈ君は、中学一年生の男子です。小学校のころから、引っ込み思案だといわれてきました。何をするにも丁寧で、登校の準備は自分できちんとするし、忘れ物もありません。母親から見ると、几帳面な性格に感じられました。

中学に入ると、その几帳面さがひどくなっていきました。いわゆる「潔癖症」というのでしょうか。他の人が自分の持ち物に触れるのを、極端にいやがるようになったのです。

家族が触る場合は、「触るな！」と、あからさまに声を荒げました。触るといっても、母親が机の上の物を少し移動させただけですが……。Ｈ君は最近、家ではいつもイライラしているようでした。

そのうち、ウエットティッシュで、手を頻繁に拭く様子が目立つようになりました。見かねた母親が聞いてみると、いろんな物が汚く感じられるようです。「ある日、電車の吊り革が細菌だらけに思えてきて……。それ以来、怖くなっている」と言います。友だちが自分の物を触ることについては、「いやだけど、なんとか我慢している」とのことでした。

母親は、「このまま放っておくわけにはいかない」と思いました。でも、どこに相談したらいいかわかりません。とりあえず学校のスクールカウンセラー(公認心理師)を訪ねました。幸いなことに、H君もスクールカウンセラーとの面談を希望しました。

繊細な人がいつもこのようになるわけではありません。いろいろ感じつつも、何事もなく過ぎていくこともあります。しかしその一方で、つらい気持ちが自分の手に負えないほど大きくなって、H君のような行動がでることもあります。H君は、中学校に入学してから、不安な気持ちが強くなったのでしょう。人間関係も新しくなり、小学校とは違うこともいっぱいあるのですから、対応しきれないことがあって当然ですし、それが今回のような形ででてきただけなのです。H君に限らず、中学生生活を心配したり、不安に思ったりする人はたくさんいることでしょう。そんなH君を見てお母さんも心配だったことと思います。

カウンセリングでは、そうした不安や自分に起きていることにどう対処したらよいかを、スクールカウンセラーの先生と一緒に考えます。

それでは、H君のカウンセリングの様子を見てみましょう。

カウンセリングの様子

スクールカウンセラーのK先生は三〇代の男性で、おおらかでそれでいて頼もしい感じの人でした。H君は、一目見て「この人になら話せそう」と感じました。K先生は、穏やかにうなずきながら、H君から日頃の様子をひととおり聞くと、「「ふだんの生活でどれくらい困っているか」を、一から一〇の数字で答えてもらえるかな」と言いました。

そして、しばらくやりとりを交わしました。

次に部屋のなかにある椅子（いす）を、H君の目の前に持って来て、「もしよかったら、少しだけ試してみてくれる？」と言って、H君のほうに顔を向けました。

「この椅子はいろんな人が使ってるんだけど、いまこれを手で触るとしたら、どれくらい怖い気持ちがあるかな？　さっきと同じように数字で言ってみて」

H君は、そんなことを考えたことがなかったので、ちょっと戸惑(とまど)いました。でも、考えて答えました。

「7ぐらいです」

自分のなかでも、意外に怖い気持ちがあるのがわかりました。

「ありがとう。じゃあ、今度は、ちょっと、この背もたれのところを触ってみる？　できそう？」

「いやだけど、できないわけではないな……」と思ったので、H君は、そっと手をのせました。

「うん。そのまま手を置いてみて。どう？　いやな感じ？」

「は、はい。少しだけ……」

H君は内心、「そう言われると、よけい気になってしまう……」と思いながら、背もたれに手を置いたままにしていました。三〇秒ぐらい経って、K先生は、

「いやな感じはどう？　どんどん増している感じ？　それとも……」

「どんどん増してはないです……。同じかなぁ？」

「うん。それなんだ！　触っていても、いやな感じは増えない。それどころか、少し減っている感じがしない？」

H君は心のなかで、「そう言われると、そんな感じもしてきたなぁ……」と思いつつ、でもそれを言葉にはしませんでした。そんなH君の様子を見ながら、K先生が静かに言いました。

「大事なことは、落ち着いた心で、何も考えこまずにただ触ると、いやな気持ちは数秒で収まっていくことなんだよ」

H君はそれを聞いて気づきました。

「ふだん物を触るときに、いろいろと余計なことを考えている」自分がいることに。

そして「考えたいわけじゃないけれど、考えが湧いてくる」自分に気が付きました。

K先生は、そんなH君をまえに話を続けました。

「私と話をしながら、これからゆっくりといろいろなものを触る練習をしてみませんか？　無理のない範囲でやっていってはどうでしょう。H君なら、きっとできるようになりますよ。そうして様子を見ていきましょう。それを続けてみて、あまり変化がみられなかったり、日常生活に影響が出てしまったりするようなら、病院に行って診察を受ける必要がでてくるかもしれない。そのときは、保護者の方にも私からきちんとお話しします。H君は心配することはないからね」

H君は、病院という言葉にドキッとしました。でも、「この先生とならできそう」という直感もありました。

「はい、わかりました。お願いします」

そう答えたH君の表情は、安堵（あんど）したものになっていました。

早めの相談が功を奏し、カウンセリングを重ねた結果、H君の不安な気持ちは一カ月ほどで治まりました。いろんな物を汚く感じられることについても、H君は「ほどほどに汚いぐらいが、ちょうどよい」と思えるようになりました。

カウンセリングでは、H君の例のように気持ちを安定させる練習をしたり、自分の気持ちを言葉にしてみる練習、自分の考え方の癖（くせ）を直す練習、優しい気持ちになる練習などをおこないます。スクールカウンセラーの先生は、話をきちんと聞いてくれますし、問題にどう対処したらいいかを一緒に考えてくれるので、とても頼りになると思います。

学校の外で相談する場合としてあげた思春期外来も、同様にあなたの力になってくれます。あなたにとって、いちばんいい方法を選んで、相談をしてみましょう。

●「繊細さ」を建物に例える

ここで、自分の「繊細さ」を建物に例えてみましょう。図5を見てください。

一階部分にあたるのが、繊細な性格（HSP気質）です。繊細さは生まれつきの性格で、

図５　繊細さを建物に例えると……

「私らしさ」の基本になっているものです。1章と2章で述べたように、繊細さ＝多感力であり、繊細な性格じたいに良し悪しはありません。長所も短所もあります。

人は、その一階部分の「私らしさ」を土台にして、家庭や学校などでさまざまな経験を重ねながら、自分のなかに二階、三階をつくって大人になっていきます。例えば、うまくいった経験や失敗した経験、がんばった経験ややる気が出なかった経験、褒められた経験や叱られた経験、楽しかった経験や怖かった経験など、すべてがあなたの栄養となっていきます。二階や三階は、あなた自身を肯定する力であり、新しいことにチャレンジするときのエネルギーになるものです。ですから、多様な経験は、プラスの要素も一見マイナスに見える要素もとても大事なのです。そうした経験に加え、さらにあなたの力になるのは、あとで述べるように、どういう人に出会ったか、です。その出会いが、これからの自分に大きな影響を与えていきます。

繊細な人は、特にうまくいった経験、がんばった経験、褒められた経験、楽しかった経験が多いほど、繊細さの長所を伸ばした自分を、私らしさの土台の上につくっていけると思います。

ただし一〇代は、ホルモン・バランスや脳の成熟度の関連で、不安な気持ちが強くなりやすく、繊細な人に限らず不安定になりがちです。そのため上の階をバランスよくつくっていけないこともあります。バランスが悪いとちょっとしたことがきっかけで、それまでの日常が違うものになってしまうこともあります。例えば、学校に行きにくくなったりするのもその一つです。

その多くは、成熟するとともに安定してくる場合も多いのですが、ときには、誰か大人の力を借りる必要がでてくるときもあります。一人で抱え込んでしまうのではなく、先ほど述べたように、スクールカウンセラーに話を聞いてもらったり、思春期外来に足を運んだりするなど、自分なりの解決方法をさぐってみましょう。また状況によっては医師の診断を仰ぐことが必要になる場合もあります。生きにくさを解決するのに遠慮はいりません。

学校に行きにくいとき

ところで、生徒たちにとって学校はもともと緊張する場面や切迫する場面がたいへん多い場所です。さらに集団での活動が基本なので、マイペースに行動する繊細な人にとっては、息苦しくもあります。また、そもそも学校は、人が多いわけですから落ち着きにくい場所でもあります。それゆえ繊細な人のなかには、学校に馴染(なじ)みにくいと感じる人もいます。統計があるわけではありませんが、いま不登校になっている子どものなかには、一階部分の「私らしさ」に繊細な性格をもつ人が一定数いるように思います。

では、学校に行きにくいと感じたとき、どうすればいいのでしょうか。

ここでは、中学生時代に一年半にわたる不登校を経験した、浅見直輝さんの経験を紹介したいと思います(『居場所がほしい』岩波ジュニア新書)。浅見さんの例は、学校に行きにくい子どもに対して、どのような手立てが大切なのかを考えるうえで、とても深い示唆(しさ)を与えてくれます。もちろん、浅見さん自身が繊細な人に相当するかどうかはわかりませんが、記述を拝見するかぎり、感受性の豊かな人であることはまちがいないと思います。

中学一年生だった浅見さんはある日、クラスの強そうな男子たちの意地悪と、担任の誤解によって、理不尽な理由で怒られてしまいます。そして、「どこにも行き場のない感情を一人で抱え込むことになり」、学校に行けなくなってしまいます。

しだいに学校にかかわるすべてのものが、恐怖や嫌悪の対象になり、みるみる自暴自棄になっていきました。例えば、大好きだった祖母が心配して遠方から会いに来てくれたときも、浅見さんは、本当は「ありがとう」と伝えたいのに、「早く帰れ！」と暴言を吐いてしまいます。また、そんな自分に腹が立ち、心のなかで泣いていたといいます（このあたりの悲痛な叫びについては、ぜひ元の本を読んでください）。

浅見さんが「自分にできることがあった」と感じられた唯一の時間が、ゲームでした。その後は昼夜逆転してゲームにはまるという、引きこもりの毎日が続きます。ゲームに没頭することには、自分を支えるという意味があったのです。

そして、その引きこもり状態から出るきっかけになったのが、鈴木さんという相談員との出会いでした。相談員の鈴木さんと、浅見さんは、地域にある支援センターで出会いました。初めて会った日、鈴木さんは、行けなくなっていた学校のことに一切ふれず、最初にプロ野球の話を彼にむかってしました。昨夜おこなわれた試合についてでした。この「たった数十秒の会話」で、浅見さんは、自分を「あるがまま、そのまま」受け止めてもらえたと感じました。このときに感じた「うれしさや安心感」が浅見さんの「生活や考え方に変化」を生んでいきました。

その後も紆余曲折(うよきょくせつ)はありながらも、再び学校に行こうという気持ちにつながり、中学校生活に復帰しました。そして現在、浅見さんは大学を卒業し、自分の経験を活かして、不登校の子どもや親を支援する活動や講演をおこなっています。

●ロールモデルに出会う

この例からわかるのは、「そのまま」の自分を認めてくれる人と出会うことの大切さです。そういう相手を、英語でロールモデル(role model)といいます。ロールモデルは、自分の素質を目覚めさせてくれるような出会い・人のことです。繊細な人は、特にロールモデルを必要としていると思います。

こんなふうにイメージしてください。人の心には、いろいろな可能性が眠っています。例えば、繊細な性格には長所も短所もありますが、長所をまだ活かせていない人は、それはまだ開花していない可能性として心の奥にあります。そのとき、すでに長所をうまく伸ばしている人に出会うと、自分のなかに眠っている長所がうまく感化され目覚めるのです。

例えば、1章で紹介したタイプ5のEさんは、人疲れをうまく乗り越えた人であり、タイプ3の弟のC君にとって、よいロールモデルになっていると思います。よいロールモデルとの関係では、「話してよかった」と感じたり、会うと安心感が湧いてきたりします。そうなると、2章の処方せん3で紹介した「自分の感覚を信頼する」ことも、自然にできるようになります。

ロールモデルは、きょうだいや友だちや先輩に限りません。教室や塾や習い事での偶然の出会いも、期待できると思います。ロールモデルが多いと、繊細さの長所はより多く目覚めてくれるでしょう。ときには、繊細で「ない」人も、繊細な人のロールモデルになることがあります。

そしてロールモデルは、実在の人でなくてもいいのです。

例えば、小説や物語、マンガやドラマ・映画の登場人物でもいいのです。そうしたモデルを見て元気が出てきたり、「おおっ！」と感動したりすることはありませんか？これも出会いの一つです。そのキャラクターに深く感銘を受けるとしたら、ロールモデルになりえるのです。

もしかしたら、タイプ5の本好きなEさんは、本のなかにロールモデルを見出しているのかもしれません。一〇代には、このパターンの人も多いと思います。

●外向的な繊細さんに出会う

ロールモデルを探すとき、特に、自分のタイプと違う繊細さをもつ人に出会えると、よりベターです。何度も登場しているC君と姉のEさんは、タイプが異なります。ボランティア部のDさんとC君も、タイプが異なるので、いいロールモデルの関係になるでしょう。

もう一つ。この本では触れてきませんでしたが、繊細な人には、引っ込み思案(内向的)なタイプと、社交的(外向的)なタイプがあります。外向的な繊細さんは、自分の興味や関心や好奇心を刺激するものに出会うと、驚くほど集中して取り組み、積極的・活動的になります。Eさん(タイプ5)やF先生(タイプ6)は、外向的な繊細さんかもしれません。

このような外向的で繊細な人を、ＨＳＳ（High Sensation Seeker）と呼びます。繊細な人のうち七割が内向的な繊細さん、三割が外向的な繊細さんだといわれています。少数派の繊細な人のなかでもさらに少数です。

外向的で繊細な人は、自分に適した環境を積極的に求めていく、好奇心旺盛なタイプです。家にいるより出かけるのが好きで、活発な友だちが多かったりします。お茶目な人柄で好かれやすいという長所をもつ反面、疲れやすいという短所も大きいといわれています。

そして、内向的な繊細さん（内向型）と、外向的な繊細さん（外向型）では、同じ繊細気質であっても、対照的です。例えば、美術館で絵画を見たときは、両者ともに、作品に描かれた人物の心情を、「どんな人かなあ」「この表情から考えると、こういう人かなあ」「この人たちは、どうしてここにいるのだろう」などと想像したり、その作品が生まれた時代背景や画家の人生に思いを馳せたりします。

ところが、内向型はそれを一人で考えたいのですが、外向型はそれを誰かに質問したり、一緒に話し合いたいと思うかもしれません。「細かいところまで注意を向け、そこから多くのことを感じ取る」という多感力は共通していても、そのあとの行動の方向性が違うのです。それゆえ、内向型と外向型は、お互いに「なんでそう行動するの？」と不思議に思うようです。

このことから、内向型の繊細さんは外向型の繊細さんと出会い、外向型の繊細さんは内向型の繊細さんと出会うことで、よりよいロールモデルの関係になると思います。共通するところがありながらも、お互いに気づきや発見が多いのです。

●「繊細さ」を活かすには

「繊細さ」をもつ自分を肯定しつつ、そこに二階三階をバランスよく積み上げていくのに大切なのは、繊細さの長所を活かせる、そんな場を探すことです。ここでいう「場」とは、家や学校といった大きな「環境」ではなく、それをさらに小さく区切った

「場面」や「とき」だと考えてください。例えば、

・家で自分の部屋にいるとき
・自宅で家族と過ごしているとき
・学校で授業を受けているとき
・学校で友だちといるとき
・部活動をしているとき
・習い事をがんばっているとき
・塾で勉強しているとき
・休みの日に友だちと出かけているとき
・アルバイト先で働いているとき

というように。一日のなかでも、さまざまな自分がいることがわかりますね。

それでは、繊細さの長所を活かすというのは、どういうことなのでしょうか？

この本では、1章で紹介した六つのタイプから考えていきましょう。六つのうち四つ「怒っている人が怖い」「友だちの顔色をうかがってしまう」「教室に居づらい」「匂(にお)いや音などに敏感」を、どちらかといえば短所、残りの「人の気持ちに気づく」「空想が大好き」を、どちらかといえば長所として、とらえてきました。

これにもとづいて言うなら、

・以心伝心で気持ちが伝わるような相手といるとき
・優しい気持ちや思いやりの気持ちを発揮できる場面
・心おきなく存分に空想や想像に浸れる環境
・自分や人生について深く考えるひととき

などが、繊細さの長所を活かしている場面に相当するでしょう。気持ちがホッと安心しているような場面です。このような場面がたくさんあるほど、長所が活かされていると思います。

これだけではありません。「水を得た魚(うお)」という言葉があります。「自由に活動できる場を得て生き生きとしているさま。」(岩波書店『広辞苑』第六版)を意味する表現です。そう、この生き生き感が大切なのです。繊細さの長所を活かしている人は、気持ちが生き生きしています。

処方せん2で紹介した「気持ちのバロメーター」では、「楽しい」気持ちを点数で表しました。生き生き感は、そのバロメーターに似ています。生き生き感がたくさんあるほど、毎日を楽しく感じるはずです。

ここまでをまとめると、気持ちがホッと安心できる場面、生き生き感を感じられる場面を増やすことが、繊細さの長所を活かしていくことになるのです。

●自分に合う場を探す

もう一つ。繊細な人は、自分に合う場(気持ちがホッと安心できる場面、生き生き感を感じられる場面)にいるときと、そうでない場にいるときの、気持ちの落差が激しいのです。自分に合わない場にいると、タイプ3のC君がそうだったように、次のような気持ちになるでしょう。

・落ち着かない
・緊張する
・疲れる、人疲れする
・その場の雰囲気に何か圧倒された感じになる
・その場に自分の居場所がないように感じる

そして不思議なことに、繊細な人は、この場が自分に合うかどうかを、パッと直感的に判断できます。

「いいね！」と思った場面なら、すぐさま積極的・活動的になれるのです。実際、これといった原因がなくて学校に行きにくかった子どもが、新学期のクラス替えや担任の変更をきっかけに登校した、という例を耳にします。繊細な人は、「細かいところまで注意を向ける」多感力をもっているので、自分に合う場かどうか、微かな違いを感じ取ることができるのでしょう。

例えば、繊細さがあるために、学校に行きにくかった子どもが、「教室以外なら登校できそう」と言うようになり、別室登校を始めることになりました。その際、「保健室はいいけど、校長室はいやだ」などと言ったりします。それを大人の立場で見ると、好みがうるさく、気難しい子どものように見えることも、ときにはあります。「それはわがままだ」「自己中心的だ」と言う大人もいます。

でも、それは誤解です。繊細な人は、環境を形式的に調整しても、うまくいかないのです。逆に言うと、本人が「自分に合う」と感じる場にさえいられれば、繊細な人は、まさに「水を得た魚」のように生き生きし始めます。

とはいえ、繊細な人でも、自分に合う場かどうかを判断しにくいことがあります。そういうときは、梨木香歩(なしきかほ)さんの『西の魔女が死んだ』(新潮文庫)をぜひ読んでみてください。読んだことがある人は、すぐに思い出すかもしれません。不登校になった主人公まいに向かって、おばあちゃんが言ったアドバイスです。この言葉が、まいだけでなく、読む人にも大きな勇気をくれます。

その時々で決めたらどうですか。自分が楽に生きられる場所を求めたからといって、後ろめたく思う必要はありませんよ。サボテンは水の中に生える必要はないし、蓮の花は空中では咲かない。シロクマがハワイより北極で生きるほうを選んだからといって、だれがシロクマを責めますか。

自分がシロクマだったら、この場は北極だろうか……と想像してみましょう。

●好きなことをがんばる

ところで、繊細な性格の特徴は、これまで述べてきたとおりですが、一〇代の繊細な人は、もっと「もやもや」した気持ちになることもあります。例えば、

・毎日がつまらない、退屈……
・誰にもわかってもらえない
・どうせ私には何もできない
・めんどうくさい、どうでもいい
・投げやりな気持ちになる
・何もかもいやになる、やる気が起きない

・うまく言えなくてイライラする

といったように。一〇代の繊細な人のなかには、こんなふうに言葉にならない「もどかしさ」を抱えてしまっている人もいます。そうなると、2章で紹介した対処方法は、なかなか効きません。

「気持ちのバロメーター」はいつも「つらい」の位置だし、「自分の感覚を信頼する」こともできません。「自然から元気をもらおう」「自分のなかの直感を探ろう」と言われても、難しすぎてピンと来ないし、「一つひとつこなそう」にも、何もやりたいことがないのですから。ロールモデルになるような人も、「自分に合う場」も、いまのところ見つかっていません。

「お手上げです……」

という声が、聞こえてきそうです。こんなときは、どうしたらいいのでしょう？

私は、好きなことを見つけることが、突破口だと考えています。そして、好きなことをがんばって、それを誰かに聞いてもらうのです。

臨床心理士の岩宮恵子さんは、「自分が好きなものについて誰かに話をするだけでも、こころの奥にあるもやもやが少しずつ形をとって見えてくることもあります」(『好きなのにはワケがある――宮崎アニメと思春期のこころ』ちくまプリマー新書)と、書いていました。実際のところ、一〇代の人のつまずきを回復させるには、これがいちばんだと、私は考えています。

●Bさんの場合――ケース②

不思議なことに、一〇代のカウンセリングでは、気持ちを安定させる練習などをせず、自分の好きなことについて、カウンセラーとただ話し合っていくだけで、回復する人もたくさんいます。

ここで、学校に行きにくくなってしまった高校生の例を紹介したいと思います。

1章のタイプ2に登場したBさんです。彼女は高校一年生になりました。希望する学校に入学し、元気に通学していましたが、しだいに行きしぶるようになってきました。五月と六月に、学校を何日か休んだようです。そんな娘を心配した母親と一緒に、思春期外来にやってきました。

学校を休みがちになったのは、小学校入学以来、これが初めてでした。ただお母さんの記憶では、小学生のころに、担任の先生がやんちゃな男子を叱っているのを見て、翌日「学校に行きたくない」と言ったことがあるそうです。また、中学校三年生のときに、同級生とのやりとりで少し悩んだこともありました。ただ、そのときも学校を休んだりすることはありませんでした。タイプ2のところでみたようにBさんは、人に気を遣うタイプです。

カウンセラーのO先生が話を聞くことになりました。Bさんの話をO先生は、ときどき質問を挟みながら聞いていきます。ただ、学校に行きにくくなった理由などについて質問しても、本人は無言になるばかりで、うまく言葉にできないようでした。

母親によると、「5月に父親と進路の話をしたことが理由ではないか」と言います。Bさんは絵を描くのが好きで、中学校ではマンガ・イラスト部でした。高校を卒業したらデザイン系の学校に進学したかったようなのですが、父親に「もう少し堅実な進路を考えなさい」と反対されたそうです(母親によると、父親は叱ったわけではないとのこと)。

それを聞いてO先生は、いまは学校についてあれこれ問わずに、むしろBさんの好きな絵について聞いてみるほうがいいと判断しました。そうして二回目からは、話題をそちらにきりかえました。

「Bさんは、絵を描くのが好きみたいだけど、どんな絵を描くの？　マンガやイラスト？　それともデッサンのようなもの？」

すると、Bさんは、「どちらも好き。デッサンは勉強になるから。よく描いているのは、イラストかな。CDのジャケットになるようなイラストを、想像して描くのが楽しいです」と、はにかみながらも、しっかりした口調で答えました。

O先生は、イラストや絵に詳しいわけではなかったのですが、思い切って、その路線でもう少し質問していくことにしました(一〇代のカウンセリングでは、趣味の話を共有できることが、何より大切だからです。もしわからなくても、相手に教えてもらえばいいのです。だから話す側も遠慮せずに言っていいのです)。

「絵を見るのも好き? 好きなイラストレーターや画家はいるのかな?」

「シャガールが好きですね。空想的なところが。画集も持っています」

「若いのに意外に古風なんだなあ……」と心のなかで思いながら、O先生は以前、ニースにあるシャガール美術館に行ったことを思い出しました。

真っ白な壁に飾られた作品群は、どれも心を打たれるものでした。でも、いまはその話をするときではないとO先生は判断し、Bさんに提案を一つしました。

「もしよかったら、次回来るときに、Bさんの描いたイラストを持って来てもらえないかなあ。現物がだめなら、写真に撮って見せてくれるとうれしい。無理なら、好きな画家の画集でもいいよ。Bさんが絵を好きなのがよくわかったので、見てみたいと思ったんだ」

O先生の提案にBさんは一瞬、戸惑ったようでしたが、「はい」とうなずいて帰っていきました。

●Bさんの好きなもの

次の面談に、Bさんは一人でやってきました。そして「少しまえに描いたものです」と言いながら、恥ずかしそうにスケッチブックをO先生にむかって差し出しました。

そこには、緑が映える草原に光が差し込み、左端に女の子が立っている光景がありました。その女の子は後ろ向きで表情は見えません。でも、まえをしっかりと見て、力強く立っていました。

その高い画力に感嘆したO先生は、

「すごいね。集中力がかなり要るんじゃないかな？」

とBさんに尋ねました。

「そうですね……。集中力もそうとう必要です。でも完成図を想像しながら少しずつ描くのが楽しい。実際に描くより、頭のなかでいろいろ構想するほうが、時間がかかるんですよ」

「そういうものなの?」

「そうです……。それで、いまはこれを勉強しているんです」

と言って、Bさんが取り出したのは、サルバドール・ダリの画集でした。「時計がグニャッとなった、この絵。先生は知っていますか?」

「ああ、有名な作品だね」

「はい、『記憶の固執』という題らしいです。私、こういうのを描いてみたくて。こういうイラストは、パソコンで描くほうがいいかなと思って。それでソフトウエアの使い方をいろいろいま勉強してるんです」

面談から数日後、母親からO先生に連絡がありました。Bさんは、いま大学の美術部に所属している家庭教師の女子大学生から、パソコンソフトのペイントツールを使って画像を描くやり方を習っているとのこと。「家庭教師は、英語の補習のために来てもらっているのですが、いつのまにか絵の時間になっているようです」と、母親は苦笑しながら話してくれました。

そして、「でも、その美術部の大学生とは、たぶん気が合うのでしょうね。他の友だちにはずいぶん気を遣うようですが、表情が違うんです」と、感慨深げに言いました。

O先生は、「いいことだと思います。好きな絵をしっかり描かせてあげてください」と母親に向かって答えました。そして好きなものに夢中になるBさんを、肯定してあげるようにとお願いしました。

その後のBさん

Bさんは、それからも毎回のように、自分の描いたイラストか、好きな画家の作品集などを持って来ました。話題も、Bさんの好きな画家の話だけでなく、O先生の薦めたルネ・マグリットや、企業の広告にも採用されている人気のイラストレーターの話にまで広がっていきました。わからないことは次までに調べてくるほどでした。

O先生はBさんの熱意に毎回、感心することしきりでした。大学生に教えてもらっていたペイントツールで描いた作品も見せてくれました。一生懸命、取り組んでいるのでしょう、上達していくのがよくわかりました。その自信が後押ししたのでしょうか、学校にもしだいに行けるようになっていました。

しばらくしてBさんは、母親の薦めで、美術大学受験のための個人塾に通うことになりました。これには、Bさんも目を輝かせました。でも、進路のことは、まだ決めていませんでした。ペイントツールを教えてくれた家庭教師の影響もあって、Bさんは「美大が無理でも、大学に進学して、美術部に入るのもいいかな」と、思い始めているようです。父親も静観しています。

カウンセリングの最終回では、「今度、家庭教師の先生の大学の学園祭に行くんです。

楽しみ！」と、Bさんはうれしそうに話してくれました。

これは、繊細な人が、自分の好きなことを、カウンセラーとただ話し合っていくだけで元気になり、回復していったケースです。不思議なことに、一〇代のカウンセリングでは、こういうこともあるのです。

●「繊細でない」人にできること

いよいよ最後の項目になりました。

これまで便宜上、「繊細な人」「繊細でない人」に分けて考えてきました。しかし、何度も言及したように、繊細さは性格です。それゆえ、「繊細でない人」にも、繊細な部分はあります。どんなに外向的な人でも、内向的なところがあるのと同じです。この項目では、繊細でない人が、繊細な人をどう理解できるかを考えてみましょう。

まず、繊細でない人が、繊細な人に会うと、どんな印象をもつでしょうか？　本書を復習しながら、次のように整理してみました。

・タイプ1の人に対しては、怖がりな印象
・タイプ2の人に対しては、「少し無理をしてない？」という印象
・タイプ3の人に対しては、「気にしすぎじゃない？」という印象
・タイプ4の人に対しては、優しい、あるいは勘が鋭いという印象
・タイプ5の人に対しては、「ぼーっとしている」ような印象
・タイプ6の人に対しては、「気分が優れないの？」という印象

こういう印象をもったときは、どうかご自身のなかの繊細な部分を思い出してください。そして、2章で述べたように、次のようにとらえ直してみてください。

・タイプ1は、人の気持ちに左右されやすい人

・タイプ2は、人の評価が気になりやすい人
・タイプ3は、人疲れしやすい人
・タイプ4は、共感力の高い人
・タイプ5は、イメージ力の高い人
・タイプ6は、体調を崩しやすい人

繊細な人を少し理解できたでしょうか。このようにとらえることで、繊細な人に対して、少しでも大目に見てもらえたらうれしいです。

●繊細な人に対するよくある誤解

もう少し考えてみましょう。繊細でない人が繊細な人に会うと、次のような印象をもつこともあります。

・気難しい、好みがうるさい
・気分屋
・わがまま
・心を閉ざしている
・自己中心的
・馴れ馴れしい、図々しい

「少しつきあいにくいなあ」という印象かもしれませんね。しかし、これらも誤解です。こういうときは、繊細さ＝多感力であることを思い出してください。繊細さを「細かいところまで注意を向け、そこから多くのことを感じ取る力」だと考えるのです。そうすると、次のようにとらえ直すことができるでしょう。

・気難しい、好みがうるさい人ではなく、細かいところまで注意が向く人
・気分屋ではなく、状況の微かな変化に反応できる人
・わがままではなく、自分に合う場かどうかを直感的に判断できる人
・心を閉ざしている人ではなく、共感力が高すぎて、あるいは多くの情報を感じ取りすぎて、どうしていいかわからない状態
・自己中心的ではなく、空想力や想像力が旺盛な状態
・馴れ馴れしい、図々しい人ではなく、気の合う相手に心を許しすぎている状態

どうでしょうか。繊細な人を少しでも理解できればよいのですが。難しかったでしょうか……。

●マイペースを認める

繊細な人に対する対応で、もっとも大切なのは、マイペースを認めてあげることだと思います。

「そんなことしたら、甘やかすことになるのでは？」

「それを認めたら、わがままになるだけじゃない？」

そういう意見もあると思います。

いいえ、違うのです。繊細な人は、もともと周りに気を遣い、窮屈な思いをしながら暮らしている人です。周囲から「マイペースだ」と言われるぐらいのほうが、生き生きできているのです。

それゆえ、どうかマイペースを少しだけ認めてあげてください。そうすれば、繊細な人は、わがままになるどころか、むしろ献身的で思いやりのある人に育っていくはずです。

ここで、繊細な性格のマイペースの意義を整理しておきましょう。例えば、タイプ5のEさんは想像力が豊かで、空想が大好きな女子でした。Eさんは、そのこと自体を悩んでいるわけではないのですが、周囲からときどき、「ぼーっとしているね」と言われていました。

これは、繊細な人がもっている、「物事を深く考える性質」に由来します。エレイン・アーロンがHSPを説明するときに、もっともすばらしい長所だと褒めている特徴です。

ただし、タイプ5の人にも短所があります。それは、想像の世界に一度のめりこむと、なかなか止められないことです。「気がすむまで、ずーっと考えていたい」というのが、このタイプの人の本音です。

それゆえ、周囲の人からは「マイペースだ」と言われがちです。たしかにそうなのです。特に、みんながいっせいに同じことをしなくてはならない学校などでは、そのマイペースさが疎（うと）まれたりします。1章で書いたように、タイプ5の人は、好きなことに適度な力加減で取り組むことができるよう、自制する練習も大切でしょう。

それでも、結論を言うなら、周囲からそう言われて、あきれられているぐらいのほうが、繊細な人は生き生きできているのです。そして、マイペースに過ごせて、「水を得た魚」のように生き生きできる場があることが、繊細な人にとって、もっとも大切なことです。

●怒らないで褒める

繊細な人は、タイプ1のA君のように、怒鳴り声や大きな声が苦手です。これは、声の主が友だちであろうと、教師であろうと、親であろうと変わりません。怒られるのは誰だっていやなものですが、タイプ1の人は、ときには次の日まで引きずるほど、ショックを受けます。

家族であれば、家のなかで「怒鳴らないルール」をつくっておくのも有効でしょう。

実際は、怒るほうも、怒りたくて怒っているわけではありません。怒らないですむのなら、お互いに気持ちよく過ごすことができると思います。

もし、繊細な人に対してイライラが募って、怒ってしまいそうなら、2章の「イライラに対処する」の三つの方法（六秒ルール、日記をつける、軽い運動）を使って、イライラを解消しておきましょう。

大人（親）が繊細な子どもに大事なことを伝えるとき、怒らずに、気づかせる方法はいくつかあります。親が小さな子どもをしつけるような場合は、周囲の人を観察させるのがよいでしょう。例えば、電車で騒がしい子どもを注意するとき、「周りの人を見てごらん」とうながすと、繊細な子どもは（四、五歳以上であれば）、むしろしっかりと「人の振り見て我が振りを直す」ことができると思います。

もう少し大きな子ども（小学生以上）には、I（アイ）メッセージという方法を使います。例えば、子どもがぐずぐずして、出かけるのが遅くなりそうなときは、「早く準備しなさい。なんでいつも遅いの？」ではなく、「早く準備してくれたら、とても助かるなあ」

というふうに、大人（親）の気持ちをメッセージに込めるのです。

そして、もちろん、うまくできたら褒めます。

これは、自分の意図や意向をうまく伝える工夫なので、友だち同士でも使えます。特に、ケンカになりそうなとき、仲なおりをしたいとき、こちらの要求を伝えるときにお勧めです。

例えば、友だちが本をなかなか返してくれないときに、「このまえ貸した本、早く返して」と言うのではなく、「本がないと調べものをするのに困るから、明日かあさってに持ってきてくれたら助かるんだけど」と伝えるのです。自分の気持ち、理由、具体案や代替案を含めることがポイントです。

●繊細でないからこそ味方になる

最後に、繊細でない人にお伝えしたいことは、繊細でないからこそ、心強い味方になることができる、ということです。たしかに、繊細な人同士は、気の合う相手になったり、ロールモデルになったりしやすいでしょう。

しかし、繊細な人は、そういう人といつも一緒にいたいわけではありません。繊細な人にとって、共鳴しすぎる相手でもあります。ときに、繊細な人同士は、お互いのパワーを消耗させ、疲れさせたり、一人になりたいと思ったり、二人の距離が近すぎる関係につながります。

それゆえ、繊細でない人は、繊細な人にとって、すばらしい味方になります。気持ちの安定している人がいつも近くにいることは、繊細な人の頼りになります。繊細な人が、自分の感情を自由に表現しても、繊細でない人は動じることもなく、それを批判することもありません。これは、繊細な人にとって心強いでしょう。

気持ちが揺れにくいことは、繊細な人にとって憧れです。そういう人と一緒にいるだけで、繊細な人は抜群の安定感を感じます。繊細でない人は、繊細な人が苦手なユーモアのセンスにも長けています。繊細でない人は、繊細な人にとって、ロールモデルにもなります。

ただし、いくら気持ちが安定していても、しゃべりすぎの人は、繊細な人に合いません。どちらかといえば、静かな力強さを感じさせるタイプが、繊細な人に適しているといえます。そして、繊細な人は、繊細でない人に、自分の気持ちを理解してもらおうと、期待しないほうがよいでしょう。それを求めるなら、繊細な人同士が適しています。あくまでも、繊細な人が、繊細でない人の近くにいることで、気持ちの安定感を見習うことが理想です。


本書をここまで読んでいただいて、自分自身あるいは身近な当事者を理解することに少しはお役に立てたでしょうか。繊細さは、人の多様さを彩る一つの要素です。自分の彩り、人の彩り……。人にはさまざまな彩りがあり、また、たくさんの彩りがこの社会には必要です。

一人ひとりが、少しでも生きやすくなりますように。そう願って、筆を置きます。

参考文献――HSPをもっと深く知るために

HSPをもっと知りたい、もっと理解したいと思う人のために本を紹介します。いずれも私が読んだ本ばかりです。おすすめのポイントをコメントにして付しました(＊印)。本屋さんで購入してもいいですし、図書館などを利用してもいいでしょう。読みやすいものから手にとってみるのもいいでしょう。いずれの本もあなたの力になってくれると思います。

★エレイン・アーロン『ささいなことにもすぐに「動揺」してしまうあなたへ。』(冨田香里訳/SB文庫/二〇〇八年)
＊著者自身がHSPで、その深く優しいまなざしに癒やされます。

★スーザン・ケイン『内向型人間のすごい力――静かな人が世界を変える』(古草秀子訳/講談社+α文庫/二〇一五年)

＊特に第6章がHSPの話ですが、それ以外のところも役立ちます。

★イルセ・サン『鈍感な世界に生きる敏感な人たち』(枇谷玲子訳/ディスカヴァー・トゥエンティワン/二〇一六年)

＊最もわかりやすい本です。落ち着いた優しい雰囲気に癒やされます。

★明橋大二・太田知子『HSCの子育てハッピーアドバイス――HSC=ひといちばい敏感な子』(1万年堂出版/二〇一八年)

＊エピソードが豊富でわかりやすく、最初に手に取るとよいでしょう。

★長沼睦雄『大人になっても敏感で傷つきやすいあなたへの19の処方箋』(SBクリエイ

ティブ／二〇一八年）
★保坂隆『敏感すぎる自分の処方箋』（ナツメ社／二〇一八年）
★高田明和『HSPとうつ　自己肯定感を取り戻す方法』（廣済堂出版／二〇一九年）
＊いずれも処方箋が豊富で実践的です。自分に合った方法を試してみてください。
★ジュディス・オルロフ『LAの人気精神科医が教える　共感力が高すぎて疲れてしまうがなくなる本』（桜田直美訳／SBクリエイティブ／二〇一九年）
＊非常に高い共感力・直感力をもつ人のためのガイドブックです。
★武田友紀『「気がつきすぎて疲れる」が驚くほどなくなる　「繊細さん」の本』（飛鳥新社／二〇一八年）
★上戸えりな『HSPの教科書』（clover 出版／二〇一九年）
★斎藤暁子『HSCを守りたい』（風鳴舎／二〇一九年）

★高木のぞみ・高木英昌『生きづらいHSPのための 自己肯定感を育てるレッスン』(1万年堂出版/二〇一九年)

＊これらは当事者による本です。当事者ならではの的確なアドバイスがありがたいです。

★串崎真志『繊細な心の科学――HSP入門』(風間書房/二〇二〇年)

＊HSPの心理学的なメカニズムを、大学の心理学部生向けに解説しています。

おわりに

「繊細でよかった！」

このように感じていただけたなら、著者として、これほどうれしいことはありません。

副題にあるHSP（ハイリー・センシティブ・パーソン）は、人に対する繊細さ（人の気持ちがわかりすぎる）と、諸感覚（音や匂いなど）の敏感さの両方をもっている人のことです。

この本は、（私を含む）すべての繊細な人が、少しでも生きやすくなるように、心をこめて書きました。ここで、繊細な人に簡潔なアドバイスをするなら、人間関係ではどうか無理をなさらず、自分の繊細さを信頼し、直感を大切にする、の三つです。

また、繊細さを活かすために、好きなことを見つけましょう。例えば、本文にも登場した精神科医のジュディス・オルロフは、楽器のドラムを叩くことを薦めています。ドラムは体のもつ自然なリズムに根を降ろし、直感的なシグナルを回復し、生き方のバランスを取るのによいそうです。

ということで、私も五〇歳の手習いで、ドラムを習い始めました。ドラムのレッスンでいつも元気をいただいている、冨永ちひろ先生に感謝を伝えたいと思います。

また、HSPの方たちの支援に一緒に取り組んでいるNPO法人「寺子屋ひゅっげ」のみなさん、眞田敏先生(小児神経科医)、太田和麻君(ピアニスト)、曽根志津さん、串崎ひなちゃん(桜文鳥・六歳)にもお礼申し上げます。

そして最後になりますが、岩波書店ジュニア新書編集部の山本慎一編集長と山下真智子さんには、貴重な執筆の機会、お力添え、的確な助言をいただき、本当にうれしいかぎりです。『悩みとつきあおう』『心は前を向いている』に続く三部作になりました。装丁も気に入っています。ありがとうございました。

二〇二〇年三月

串崎真志

串崎真志

1970年山口県生まれ．愛媛大学卒業．

大阪大学大学院博士後期課程修了．博士(人間科学)．

現在，関西大学文学部教授．専門は臨床心理学．

著書に『悩みとつきあおう』『心は前を向いている』(共に，岩波ジュニア新書)などがある．

繊細すぎてしんどいあなたへ HSP相談室
岩波ジュニア新書 919

2020年5月27日 第1刷発行
2023年5月25日 第4刷発行

著　者　串崎真志(くしざきまさし)

発行者　坂本政謙

発行所　株式会社 岩波書店
〒101-8002 東京都千代田区一ツ橋 2-5-5
案内 03-5210-4000　営業部 03-5210-4111
ジュニア新書編集部 03-5210-4065
https://www.iwanami.co.jp/

印刷・理想社　カバー・精興社　製本・中永製本

ISBN 978-4-00-500919-0　Printed in Japan

岩波ジュニア新書の発足に際して

きみたち若い世代は人生の出発点に立っています。きみたちの未来は大きな可能性に満ち、陽春の日のようにひかり輝いています。勉学に体力づくりに、明るくはつらつとした日々を送っていることでしょう。

しかしながら、現代の社会は、また、さまざまな矛盾をはらんでいます。営々として築かれた人類の歴史のなかで、幾千億の先達たちの英知と努力によって、未知が究明され、人類の進歩がもたらされ、大きく文化として蓄積されてきました。にもかかわらず現代は、核戦争による人類絶滅の危機、貧富の差をはじめとするさまざまな人間的不平等、社会と科学の発展が一方においてもたらした環境の破壊、エネルギーや食糧問題の不安等々、来るべき二十一世紀を前にして、解決を迫られているたくさんの大きな課題がひしめいています。現実の世界はきわめて厳しく、人類の平和と発展のためには、きみたちの新しい英知と真摯な努力が切実に必要とされています。

きみたちの前途には、こうした人類の明日の運命が託されています。ですから、たとえば現在の学校で生じているささいな「学力」の差、あるいは家庭環境などによる条件の違いにとらわれて、自分の将来を見限ったりはしないでほしいと思います。個々人の能力とか才能は、いつどこで開花するか計り知れないものがありますし、努力と鍛錬の積み重ねの上にこそ切り開かれるものですから、簡単に可能性を放棄したり、容易に「現実」と妥協したりすることのないようにと願っています。

わたしたちは、これから人生を歩むきみたちが、生きることのほんとうの意味を問い、大きく明日をひらくことを心から期待して、ここに新たに岩波ジュニア新書を創刊します。現実に立ち向かうために必要とする知性、豊かな感性と想像力を、きみたちが自らのなかに育てるのに役立ててもらえるよう、すぐれた執筆者による適切な話題を、豊富な写真や挿絵とともに書き下ろしで提供します。若い世代の良き話し相手として、このシリーズを注目してください。わたしたちもまた、きみたちの明日に刮目しています。（一九七九年六月）

924 過労死しない働き方
―働くリアルを考える
川人 博
過労死や過労自殺に追い込まれる若い人を、どうしたら救えるのか。よりよい働き方・職場のあり方を実例をもとに提案する。

925 障害者とともに働く
藤井克徳
星川安之
「障害のある人の労働」をテーマに様々な企業の事例を紹介。誰もが安心して働ける社会のあり方を考えます。

926 人は見た目!と言うけれど
―私の顔で、自分らしく
外川浩子
見た目が気になる、すべての人へ!「見た目問題」当事者たちの体験などさまざまな視点から、見た目と生き方を問いなおす。

927 地域学をはじめよう
山下祐介
地域固有の歴史や文化等を知ることで、自分・社会・未来が見えてくる。時間と空間を往来しながら、地域学の魅力を伝える。

928 自分を励ます英語名言101
小池直己
佐藤誠司
自分に勇気を与え、励ましてくれるさまざまな先人たちの名句名言に触れながら、自然に英文法の知識が身につく英語学習入門。

929 女の子はどう生きるか
―教えて、上野先生!
上野千鶴子
女の子たちが日常的に抱く疑問やモヤモヤに、上野先生が全力で答えます。自分らしい選択をする力を身につけるための1冊。

930 平安男子の元気な！生活
川村裕子
意外とハードでアクティブだった⁉ 恋に出世にライバル対決、元祖ビジネスパーソンたちのがんばりを、どうぞご覧あれ☆

931 SDGs時代の国際協力
―アジアで共に学校をつくる
西村幹子
小野道子
井上儀子
バングラデシュの子どもたちの「学校に行きたい！」を支えて――NGOの取組みから未来をつくるパートナーシップを考える。

932 コミュニケーション力を高める
プレゼン・発表術
上坂博亨
大谷孝行
里見安那
パワポスライドの効果的な作り方やスピーチの基本を解説。入試や就活でも役立つ「自己表現」のスキルを身につけよう。

933 確かめてナットク！
物理の法則
ジョー・ヘルマンス
村岡克紀訳
ロウソクとLED、どっちが高効率？ 物理学は日常的な疑問にも答えます。公式だけじゃない、物理学の醍醐味を味わおう。

934 深掘り！中学数学
―教科書に書かれていない数学の話
坂間千秋
三角形の内角の和はなぜ180°になる？ なぜ割り算はゼロで割ってはいけない？ なぜマイナス×マイナスはプラスになる？…

935 はじめての哲学
藤田正勝
なぜ生きるのか？ 自分とは何か？ 日常の一歩先にある根源的な問いを、やさしい言葉で解きほぐします。ようこそ、哲学へ。

936 ゲッチョ先生と行く 沖縄自然探検 盛口 満
沖縄島、与那国島、石垣島、西表島、宮古島を中心に、様々な生き物や島の文化を、著名な博物学者がご案内！〔図版多数〕

937 食べものから学ぶ世界史 ―人も自然も壊さない経済とは？ 平賀 緑
食べものから「資本主義」を解き明かす！産業革命、戦争…。食べものを「商品」に変えた経済の歴史を紹介。

938 国語をめぐる冒険 渡部泰明・平野多恵・出口智之・田中洋美・仲島ひとみ
世界へ一歩踏み出せば、新しい出会いと成長への機会が待っています。国語を使ってどう生きるか、冒険をモチーフに語ります。

940 俳句のきた道 芭蕉・蕪村・一茶 藤田真一
古典を知れば、俳句がますますおもしろくなる！ 個性ゆたかな三俳人の、名句と人生、俳句の心をたっぷり味わえる一冊。

941 AIの時代を生きる ―未来をデザインする創造力と共感力 美馬のゆり
人とAIの未来はどうあるべきか。「創造力と共感力」をキーワードに、よりよい未来のつくり方を語ります。

942 親を頼らないで生きるヒント ―家族のことで悩んでいるあなたへ コイケ ジュンコ NPO法人ブリッジフォースマイル協力
虐待やヤングケアラー…、子どもはどのようにSOSを出せばよいのか。社会的養護のもとで育った当事者たちの声を紹介。

943 **数理の窓から世界を読みとく**
—素数・AI・生物・宇宙をつなぐ
初田哲男
柴藤亮介 編著

数学を使いさまざまな事象を理論的に解明する方法、数理。若手研究者たちが数理を共通言語に、瑞々しい感性で研究を語る。

944 **自分を変えたい**
—殻を破るためのヒント
宮武久佳

いつも同じメンバーと同じ話題。親に勧められた大学に進学し、楽勝科目で単位を稼ぐ。ずっとこのままでいいのかなあ？

945 **ヨーロッパ史入門**
原形から近代への胎動
池上俊一

古代ギリシャ・ローマから、文化的統合体としてのヨーロッパの成立、ルネサンスや宗教改革を経て、一七世紀末までを俯瞰。

946 **ヨーロッパ史入門**
市民革命から現代へ
池上俊一

近代国家の成立や新しい思想の誕生、二度の大戦、アメリカや中国の台頭。「古い大陸」ヨーロッパがたどった近現代を考察。

947 **〈読む〉という冒険**
イギリス
児童文学の森へ
佐藤和哉

アリス、プーさん、ナルニア……名作たちは、本当は何を語っている？「冒険」する読みかた、体験してみませんか。

948 **私たちのサステイナビリティ**
—まもり、つくり、次世代につなげる
工藤尚悟

「サステイナビリティ」とは何かを、気鋭の研究者が、若い世代に向けて、具体例を交えわかりやすく解説する。

949 進化の謎をとく発生学
―恐竜も鳥エンハンサーを使っていたか
田村宏治
進化しているのは形ではなく形作り。キーワードは、「エンハンサー」です。進化発生学をもとに、進化の謎に迫ります。

950 漢字ハカセ、研究者になる
笹原宏之
著名な「漢字博士」の著者が、当て字、国字、異体字など様々な漢字にまつわるエピソードを交えて語った、漢字研究者への成長記。

951 作家たちの17歳
千葉俊二
太宰も、賢治も、芥川も、漱石も、まだ「文豪」じゃなかった――十代のころ、彼らは何に悩み、何を決意していたのか？

952 ひらめき！英語迷言教室
―ジョークのオチを考えよう
右田邦雄
ユーモアあふれる英語迷言やひねりのきいたジョークのオチを考えよう！笑いながら英語力がアップする英語トレーニング。

953 大絶滅は、また起きるのか？
高橋瑞樹
生物たちの大絶滅が進行中？過去五度あった大絶滅とは？絶滅とはどういうことでなぜ問題なのか、様々な生物を例に解説。

954 いま、この惑星で起きていること
気象予報士の眼に映る世界
森さやか
世界各地で観測される異常気象を気象予報士の立場で解説し、今後を考察する。雑誌『世界』で大好評の連載をまとめた一冊。

955 世界の神話 躍動する女神たち　沖田瑞穂
強い、怖い、ただでは起きない、変わってる⁉ 世界の神話や昔話から、おしとやかなイメージをくつがえす女神たちを紹介！

956 16テーマで知る 鎌倉武士の生活　西田友広
鎌倉武士はどのような人々だったのでしょうか？ 食生活や服装、住居、武芸、恋愛など様々な視点からその姿を描きます。

957 〝正しい〟を疑え！　真山 仁
不安と不信が蔓延する社会において、自分を信じて自分らしく生きるためには何が必要なのか？ 人気作家による特別書下ろし。

958 津田梅子―女子教育を拓く　髙橋裕子
日本の女子教育の道を拓き、シスターフッドを体現した津田梅子の足跡を、最新の研究成果・豊富な資料をもとに解説する。

959 学び合い、発信する技術―アカデミックスキルの基礎　林 直亨
アカデミックスキルはすべての知的活動の基盤。対話、プレゼン、ライティング、リーディングの基礎をやさしく解説します。

960 読解力をきたえる英語名文30　行方昭夫
英語力の基本は「読む力」。先生と生徒の対話形式で、新聞コラムや小説など、とっておきの例文30題の読解と和訳に挑戦！